小説 弱虫《よわむし》ペダル

10

原作
渡辺航

ノベライズ
輔老心

岩崎書店

弱虫ペダル⑩ 目次

登場人物《とうじょうじんぶつ》

今泉俊輔《いまいずみしゅんすけ》

自転車競技《きょうぎ》に命をかける、毎日ストイックに走り続ける高校一年生。中学時代は県内《けんない》でも有名なレーサーだった。坂道の走りに関心《かんしん》を持っている。

小野田坂道《おのださかみち》

ママチャリで往復《おうふく》九十キロの秋葉原《あきはばら》への道のりを毎週欠《か》かさず通う高校一年生。自転車に自分の可能性《かのうせい》があるなら、と千葉県《ちばけん》一強い自転車競技部《きょうぎぶ》に入部する。

鳴子章吉《なるこしょうきち》

自転車と友だちを大事にする関西《かんさい》出身のレーサー。浪速《なにわ》のスピードマンの異名《いみょう》を持つ高校一年生。坂道のよきアドバイザーでもある。

総北《そうほく》高校自転車競技部《きょうぎぶ》 三年生

主将《しゅしょう》 金城真護《きんじょうしんご》

田所迅《たどころじん》

巻島裕介《まきしまゆうすけ》

箱根学園《はこねがくえん》自転車部

新開隼人《しんかいはやと》

主将《しゅしょう》 福富寿一《ふくとみじゅいち》

真波山岳《まなみさんがく》

泉田塔一郎《いずみだとういちろう》

東堂尽八《とうどうじんぱち》

荒北靖友《あらきたやすとも》

京都伏見《きょうとふしみ》高等学校

御堂筋翔《みどうすじあきら》

主将《しゅしょう》 石垣光太郎《いしがきこうたろう》

前回までのあらすじ

箱根《はこね》～富士山周辺《ふじさんしゅうへん》を舞台《ぶたい》に、三日間にわたって行われている大レース、その名も「インターハイ」。初優勝《はつゆうしょう》をめざす千葉県代表《ちばけんだいひょう》、総北高校自転車競技部《そうほくこうこうじてんしゃきょうぎぶ》では、初心者《しょしんしゃ》レーサー小野田坂道《おのださかみち》が、一年生ながらレギュラーメンバーとして走っている。

レース二日目は、前年度王者の箱根学園《はこねがくえん》・福富《ふくとみ》と、総北のエース金城《きんじょう》の因《いん》縁《ねん》の対決《たいけつ》がもえあがった。去年《きょねん》は、同じ二日目に、トップを争《あらそ》う両者が接《せっ》触《しょく》、金城は骨折《こっせつ》する大ケガをおったのだった。福富は正々堂々《せいせいどうどう》とした勝負《しょうぶ》で金城をたおすことを夢見《ゆめみ》ていた。今回、両者のマッチレースになるかと思われたレースは、伏兵《ふくへい》、京都伏見《きょうとふしみ》の御堂筋《みどうすじ》がかき回した。母の入院《にゅういん》をきっかけに、おみまいのために自転車で病院に通ったことから強靭《きょうじん》な足腰《あしこし》を作った御堂筋は、亡《な》き母の思いをのせて勝負に出る。いよいよ、二日目は、富士山《ふじさん》近く、本栖《もとす》湖《こ》の湖畔《こはん》のゴールラインをむかえたが――。

はじまる前に

この巻《かん》は、インターハイ二日目のゴールシーンからはじまります。
ここでの自転車の高校日本一を決めるインターハイの流れは、

・三日間かけて行われる。
・毎日、朝にスタートして、夕方前にゴールする。
・一日目は、江《え》ノ《の》島《しま》から百二十台がいっせいにスタート。
・次《つぎ》の日からは、前日のタイム差《さ》の順《じゅん》に、秒数《びょうすう》をあけてスタート。
・とちゅうでこけて、ケガをして走れなくなったらリタイアになる。
・三日目の最後《さいご》のゴールでトップだった選手《せんしゅ》が総合優勝《そうごうゆうしょう》。
・ゴールをねらうのは、各チームの最強選手《さいきょうせんしゅ》「エース」。

これらを頭のかたすみにおいておけば、インターハイがよりたのしめるよ。

本書は、秋田書店刊の『弱虫ペダル』をもとに小説化したものです。文章化するにあたり、台詞など一部改めています。

第一章　前《ぜん》夜《や》

二日目のゴール

「来たぞーーーーーーーーーーーーーっ!!!」

二日目のゴール地点は、本栖湖《もとすこ》のすぐそば。

いまか、いまかと待《ま》ちうけるファンの前に、突風《とっぷう》のように、三台の自転車がぶっとばしてきた。決定的瞬間《けっていてきしゅんかん》を見ようと、じんどった観客《かんきゃく》は声をからして応援《おうえん》している。

「ハコガクーーーーーーーーーっ!!!」

「千葉《ちば》ーーーーーーーーーーーーーーっ!!!」

実況《じっきょう》アナウンサーがこうふんして、
「さぁ、インターハイ二日目のゴール、だれが勝つのかーー!!
選手《せんしゅ》たちがとびこんできたーーーー!!」
と、はらから声を出しまくった。

真夏《まなつ》の太陽の下、みんなでぜっきょうだ。

にげきりをはかる京都伏見《きょうとふしみ》の御堂筋《みどうすじ》を、箱根《はこね》学園《がくえん》の福富《ふくとみ》と総北《そうほく》の金城《きんじょう》がぶちぬいた。そのあと、二人は最後《さいご》の力をふりしぼってゴールになだれこもうとする。体重をペダルにのせて、前かがみ。体をゆらせて、ぐいぐいとふむ。

黄色の金城か、ブルーの福富か、どっちだ!?

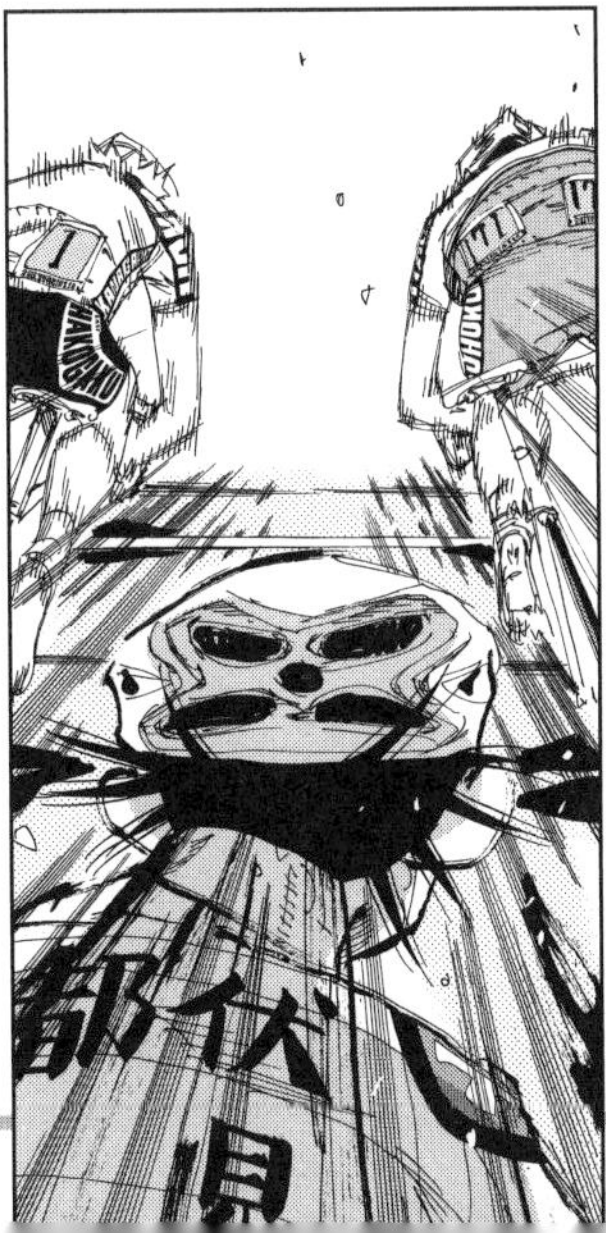

ああああああああああああああああああ！

本栖湖《もとすこ》のゴールゲートに一瞬《いっしゅん》の静寂《せいじゃく》。

「ゴーーーーーーーーーーーーーーーーール!!!
勝ったのは、箱根学園《はこねがくえん》、福富選手《ふくとみせんしゅ》！　二着に金城《きんじょう》選手！
レースをリードしていた京都伏見《きょうとふしみ》の御堂筋《みどうすじ》選手は三着にやぶれました！」

スピーカーから結果《けっか》を知らせるアナウンスがひびきわたった。
と同時に、ゴールしたばかりの福富は
「うおおおおおおおおおおおおおおおおお！」
と両手をあげて、おたけびをあげた。
野生のけもののような、ほえ声だった。
手をグーにしてつきあげている。

湖畔《こはん》の風と光をうけて、胸《むね》をはった。

「やったぜ、箱根学園《ハコガク》！」

「さすが、福富！」

観客《かんきゃく》は拍手喝采《はくしゅかっさい》だ。

ほんの数センチおよばずゴールした金城は、ゴールをするやいなや、がくーんと頭をたれて地面を見つめていた。

金城は、

ハァ、ゼッ、ハァ、ゼッ、ハァ、ゼッ、ハァ、ゼッ、

体がばくはつしそうなくらい息《いき》があらい。

心臓《しんぞう》がこわれそうだ。

金城《きんじょう》の今日のレースは終わった。
終わったというのに、まだ心臓《しんぞう》はそれに気づかないかのように、どっくんどっくんと強く動いている。

痛恨《つうこん》の二着――。

やぶれた金城は、

くそ‼　………とどかなかった……。
みんなの想《おも》いをゴールにとどけるのが、エースだというのに

と、チームメイトの顔を思いうかべて、くちびるをかみしめた。
全員がバトンをつないで、そのバトンを最後《さいご》、自分にあずけてくれた。ゴールをまかせてくれた。けれど――、最後の最後で――。

まけた金城の耳には、大歓声《だいかんせい》も、アナウンスも、なんの音も入らない。まけた。顔面からはあせがあふれ、流れ、あごの先から地面にたらたらと落ちていく。
金城はゴールしたいきおいのまま、もうペダルはふまず、ゆっくりと進んでいた。

そこへ、

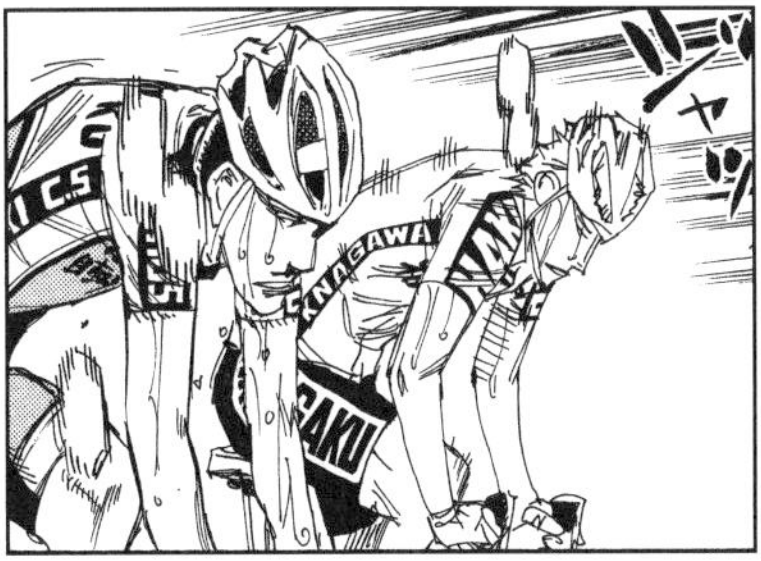

「金城」
と福富《ふくとみ》が自転車をならべてきた。金城はその声にふと顔を上げた。

ハァ、ハァ、ハァ、ハァ、

福富も息《いき》があらい。
おたがいに全力を出しつくしたのだ。
闘《たたか》いを終えたばかりの二人はしばし見つめあった。

「終わった」
と福富《ふくとみ》が　ポツリと言った。
金城《きんじょう》はギロリと福富をにらんだ。
福富は勝ったよろこびの顔ではなく、まじめな顔をしていた。
　金城を見つめたままで、
「……ようやく、オレの一年におよぶ、〝インターハイ第二ステージ〟が、終わった。
ありがとう‼　全力で勝負《しょうぶ》してくれて‼」
と言った。
「これでオレは、やっと心からわらえる」
そう言うやいなや、福富の目からなみだがふたすじ流れ出た。
顔のとちゅうであせとまざって、なみだが地面に落ちていった。
金城はおどろいた。福富がないている。

福富にとって、今年のインターハイの第二ステージの勝利《しょうり》は、特別《とくべつ》の意味があったのだ。

それは、去年《きょねん》の第二ステージから続《つづ》く物語だ。

去年、福富は、インターハイの第二ステージで自分の前を走る金城の背中《せなか》に手をのばして、※ジャージをつかんでころがせてしまった。反則《はんそく》だ。福富は反則してまで勝ちたかったのだ。

福富は思い出していた。


レースのあとで、総北《そうほく》高校にあやまりに行ったこと。

そして、「もう一度勝負をしてくれ」と金城に頭を下げて、たのんだことを。正々堂々《せいせいどうどう》と闘《たたか》って勝たなければ、なんの意味もないことを、いやというほど味わったのだ。

失敗《しっぱい》の記憶《きおく》はかんたんには消えてくれない。

※ジャージをつかんでころがせて…『小説《しょうせつ》 弱虫ペダル』第４巻参照《かんさんしょう》

でも、それをぬぐいさらなければならなかった。
今、それがやっとできたのだ。

それは、金城《きんじょう》がもう一度、闘《たたか》ってくれたから――だ。
福富《ふくとみ》にとってのこのゴールは、二年ごしに、やっと第二ステージの決着がついたゴールだった。

金城は、福富のなき顔を初めて見た。

おまえもこの一年――
重責《じゅうせき》と、そして、自分自身と闘ってきたんだな……と思った。

そして、福富に声をかけた。

「まったくおまえは不器用《ぶきよう》なやつだな。言っていることがぎゃくだ。それはわらっているんじゃなくて、ないているんだろ」

金城はわざと明るく言いながら、福富の背中《せなか》をポンとたたいた。

福富のなみだはとまらなかった。それどころかますます強くなみだが流れていた。

「ああ……そうだな!!　金城真護《しんご》……」

二人はガッシと肩《かた》を組んで、おたがいのがんばりをたたえあった。

そして、

「今日は本当にいい勝負《しょうぶ》だった」と福富が言った。

「おまえは強い!!」と金城は言った。

「だが、
明日はまけんぞ」
二人はもう一度、肩《かた》に
おいた手にグッと力を入れた。

そこへ、箱根学園《はこねがくえん》の後輩《こうはい》たちが集まってきた。
だから、二人は、だまってわかれた。

「おつかれさましたッ、福富《ふくとみ》さん」
「いやーもォ、感動すよ!!　ゴール前!!」
箱根学園のメンバーがとびあがってよろこんでいる。

福富がその輪の中に消えていくのを見ながら、金城《きんじょう》は
「……フ、ぜったいにな、福富寿一《じゅいち》……箱根学園……明日はまけん」
ともう一度、自分に言い聞かせた。

「明日は三日目……今年のインターハイ、最後《さいご》のステージ
なにがあっても…………!!!」

坂道がゴールへ

しばらくして――。

シャ――――

「見えた、ゴールだ……!!」

と坂道がけんめいにペダルをこぎながらさけんだ。

先頭のゴールからおくれること数分、二日目のゴールゲートに、坂道たちがやってきた。

福富《ふくとみ》、金城《きんじょう》、御堂筋《みどうすじ》の〝エース〟がゴールしたあとに、エースを先へ行かせるための発射《はっしゃ》台役《だいやく》をつとめた、総北《そうほく》の今泉《いまいずみ》と箱根学園《はこねがくえん》の新開《しんかい》、京都伏見《きょうとふしみ》の石垣《いしがき》がすでにゴールしている。

ハァ
ハァ
ハァ
ハァ
ハァ
ハァ
ハッ
ハァ
ハァ
ハッ
ハァ

そのあとのグループが坂道たちだ。
坂道の近くには、鳴子《なるこ》、巻島《まきしま》、田所《たどころ》の総北の三人。それと、ブルーのジャージの箱根学園のメンバーもひとかたまりになって走行している。

ハァ、ハァ、ハァ、ハァ、ハァ、ハァ、ハァ、ハァ、
坂道はもう、息《いき》もたえだえだ。
二日目はとんでもなくはげしいレースだった。

ゴーーーーーーール！

ゲートをくぐったとたんに、坂道は全身の力がぬけた。

坂道と鳴子《なるこ》はゴールすると、自転車をほうりだして、地面に大の字にひっくりかえってしまった。

息《いき》が苦しい。

心臓《しんぞう》がはげしくうち続ける。

ふき出るあせで水たまりができそうなほどだ。

ハァ、ハァ、ハァ、ハァ、ハァ、ハァ、ハァ、
ハァ、ハァ、ハァ、ハァ、ハァ、ハァ、
力が体にもうない。動けない。水がほしい。

空があまりにもまぶしい。やがて、

「うおーーー、アカン。空、回る。ぐるぐる回る、回るっ」

と鳴子が道にねころんだままで言った。

「一年生レースのゴールのアレ※より正直、しんどい」

その声を聞いて、坂道は自分を取りもどした。ほわーッとろうそくが消えるように、意識《いしき》がとおのきそうになっていたのだ。

坂道は小さな声で
「※合宿の……倍《ばい》くらいキツいね……」

と、ようやく言葉をしぼりだした。

鳴子は、

「マジで内臓《ないぞう》、出そうやわ。百万円やるから今すぐ三日目を走れ、言われても、ワイ、ことわるし‼」

と言った。

「でも……、鳴子くんや今泉《いまいずみ》くんがいてくれたから、ボクは……なんとかゴールできたよ
……ありがとう」

「ああ‼　けど、小野田くんがおったから、ハコガクに追いついて勝負《しょうぶ》できたんやで」

※アレ…『小説《しょうせつ》 弱虫ペダル』第２巻参照《かんさんしょう》

※合宿の…『小説 弱虫ペダル』第３巻参照

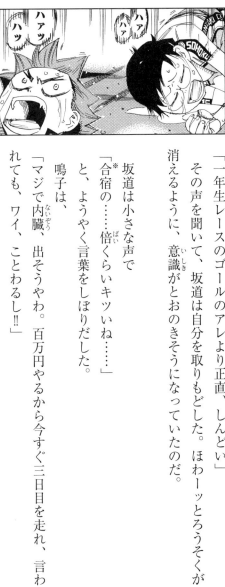

ハァ、ハァ、ハァ、ハァ、ハァ、ハァ、ハァ、

息《いき》もたえだえなのに、二人は話したいことがあとからあとから出てきた。

息をすう間もおしんでしゃべりたかった。

そこへ、

「さ、ほめあいはそんくらいでいいか？
行くぞ、ひかえのテント」

と田所が声をかけた。

「そんな道路のどまん中にねていたら、後続《こうぞく》にひかれるっショ」

と巻島《まきしま》が自転車にまたがったままで、二人をうながした。

二人はたった今、レースが終わったことが信じられないようなすずしい顔をしている。

あれだけ走ってきたのに！

鳴子《なるこ》がさけんだ。

「わーーーーっ、だいなし！」

せっかくゴールしたての感動ムードをあじわっているのに、とおこっている。

「なんちゅーか、オッサンたち、人の心はないんですか。今、メッチャ、いいとこですやん。てゆうか、なにをスタスタ歩いとんすか。鉄人ですか」

そう言いながら立ち上がろうとしたが、ひざがわらっていて、立ちあがれない。

坂道も生まれたてのシカみたいに足をブルブルさせている。両手をアスファルトについたままで、立ちあがれない。足に力が入らないのだ。

朝からレースを突《つ》っ走《ぱし》ってきて、自転車から急におりたらこうなってしまったのだ。

「おーーー！　言い返せる元気はあるじゃねーか、ガハハ」

と、つかれきっている一年を見て、田所はわらった。

これが三年生と一年生のちがいなのか。

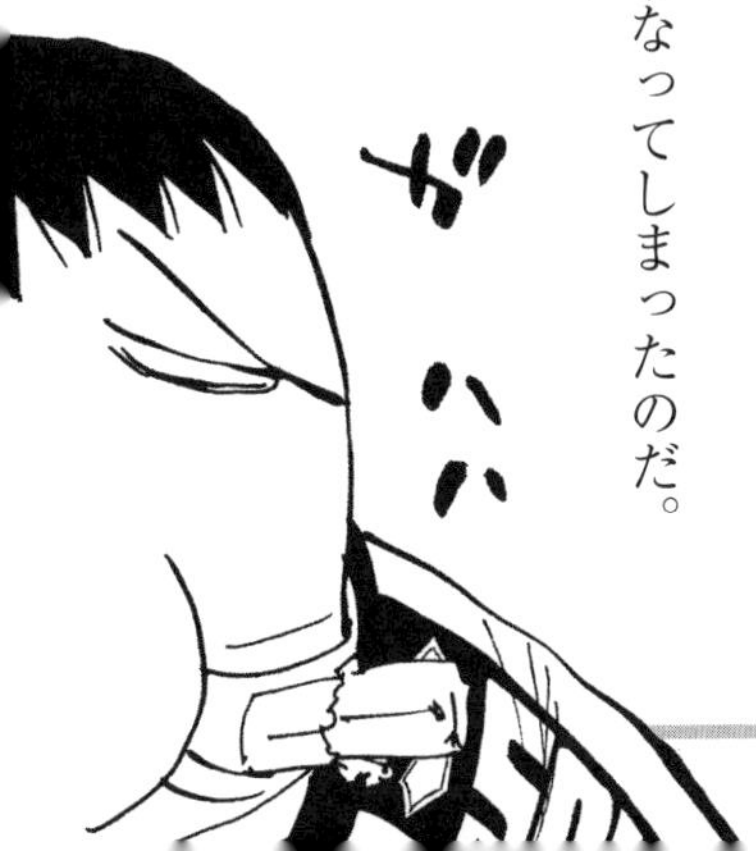

三年生の田所と巻島《まきしま》はなにごともなかったように、スタスタとテントへと向かって行った。かたや一年生の坂道と鳴子《なるこ》はやっとの思いで自転車をおしながらあとを追った。

「おつかれさまです」

テントの前に、白いふかふかのタオルを持った今泉《いまいずみ》が待《ま》っていた。

先にゴールしていたので、自転車をテントにおいて、みんなを待っていたのだ。

その顔を見るやいなや、鳴子がさけんだ。

「おーーーーーーーーー、スカシ!!　スカシや!!　で、どやった!!　やったか!?　獲《と》れたかステージ優勝《ゆうしょう》!!　金城《きんじょう》さんは勝ったんか!?」

鳴子と坂道は、二日目のゴールの結果《けっか》をまだ知らない。

エース金城を引いて、群《む》れから飛び出していく今泉の背中《せなか》が、彼《かれ》を見た最後《さいご》の風景《ふうけい》だ。
田所と巻島も立ちどまった。この二人も結果を知らない。

今泉はフッと息《いき》をためた。
「ワアアアアアアー」
なにかを言おうとしたが、すぐ横で箱根学園《はこねがくえん》の選手《せんしゅ》たちがハイタッチしながらあげた歓声《かんせい》に思いとどまった。

あ……。

ブルージャージの箱根学園の選手たちが
「そりゃもうスゴかったスよ!!　本当に!!　福富《ふくとみ》さんの最後の走り!!
それは新開《しんかい》さんの引きがあってのことですけどね!!」
とわらっている。

「数センチですよ、数センチの差《さ》でしたね！」

ドワァっともりあがっていた。


「ハコ……ガク　か……」


と、それを見た鳴子《なるこ》が声をもらした。

今泉《いまいずみ》はうつむいて言った。

「すまない、ほんの数センチだった……。オレが……オレのアシストとしての力が——」

「ま、いいんじゃねーか!!」
今泉の肩《かた》を田所が「ポン」と、巻島《まきしま》が「ショ!!」とたたいた。

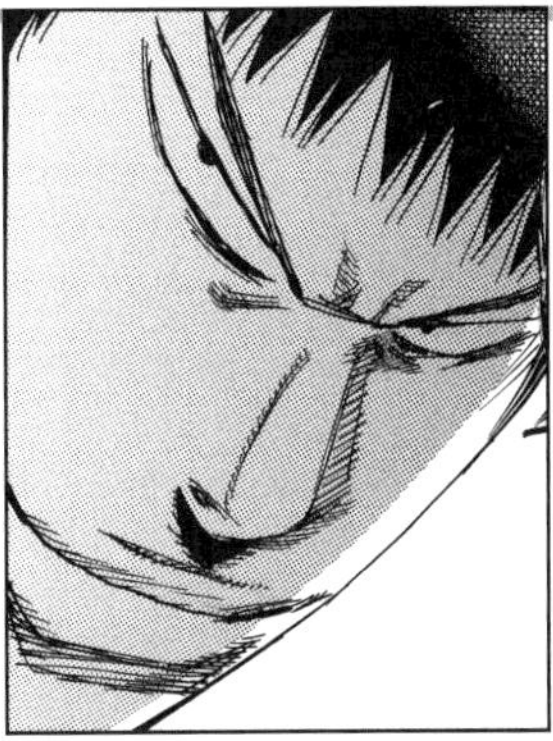

「オレたちは、王者ハコガクまで、あと数センチのところまできてるってコトだろ？　行くぞ」

と言うと、二人はテントに向かってスタスタと歩き出した。

今泉と鳴子はその言葉におどろいた。

それでいいのか……まけてくやしくないのか……と。

坂道には、田所の大きな背中《せなか》がたのもしく見えた。

まけても、なお

チームテントに着くと、坂道はびっくりした。

なんと金城《きんじょう》がベッドに横たわっているではないか。

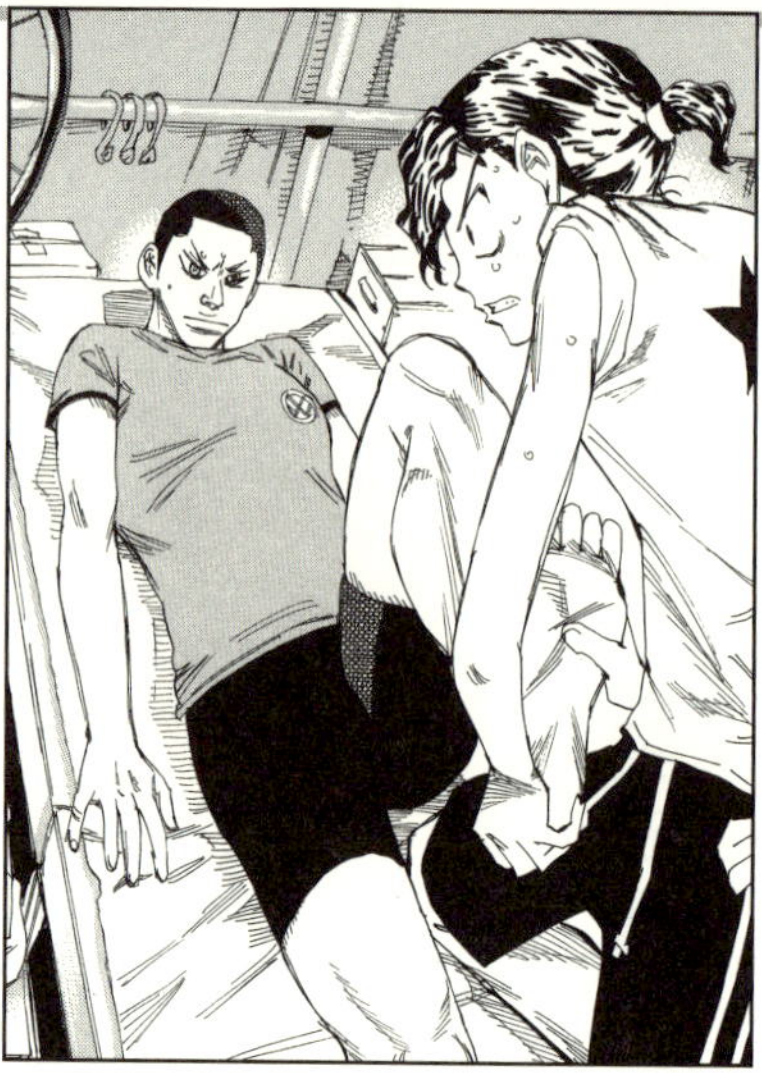

手嶋《てしま》が、金城《きんじょう》の太い足をつかんで、まげたり、のばしたりストレッチしている。

「く‼」

「う……」「く……」

金城がときどき、いたそうな声を出していた。

「手嶋、もう少し、左向きにおしてみてくれ」

「はい、ゆっくりいきます」

金城はレースでひざをいためたようでつらそうだ。

マネージャーのミキが、

「早くテントに入って。外からほかのチームに見られたくないからしめるね」

と、言ってテントの入り口のカーテンをジャっとしめた。

今泉《いまいずみ》、田所、巻島《まきしま》、鳴子《なるこ》、坂道。

総北《そうほく》の選手《せんしゅ》たちが全員そろった。

それを見て、金城は横たわったままで、

「ご苦労だったな、六人全員、無事にゴールできたか」

ときいた。

「ああ、なんとかな」

と巻島が答えた。

たまりかねて、鳴子が、

「金……城さん、どしたんですか」とたずねた。

「だ、だいじょうぶですか?」と坂道も心配になった。

「ああ……ちょっとムリをした。すまなかったな。それでもステージは獲《と》れなかった」

田所が、

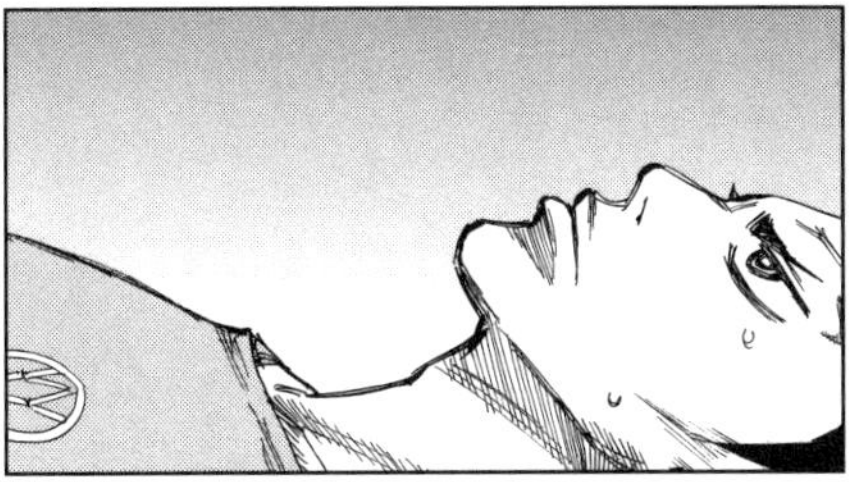

「ガハハハ、つーか、まあ、ひざをいためても獲《と》れなかったんだから、
今日は福富《ふくとみ》の日だったってことじゃねーか」
と言った。

「だな」

と巻島《まきしま》が言った。

鳴子《なるこ》が、

「いや、ちょっと待《ま》ってくださいよ。さっきからなんすか先輩《せんぱい》、二人とも……ええんすか、それで」

とたまらず言った。

「まけて当然《とうぜん》みたいなことばっか言うて‼　くやしゅうないんすか、まけたんすよ‼」

テントの中に大きな声がひびいた。

「ワイらがつんでつんで、ひっしでやったのにまけたんすよ‼　ワイは……ワイはくやしいですよ……」

テントの中はシーンとしずまり返った。みんなが手をとめた。

坂道は、長いちんもくにたえきれず、

「あ……あの……金城《きんじょう》さんは……明日は走れるんでしょうか……最後《さいご》の日のレース……。六人全員でチームなんですよね」

と言った。

全員が知りたいことだった。

こんな状態《じょうたい》の金城は走れるのか。

だけど、だれもがふれずにいたことを、坂道が言葉にしてしまった。

「小野田ぁ!!!」

ぱん

巻島《まきしま》が坂道の肩《かた》をたたいた。いきおいがよすぎたのか、いい音がひびいた。

「鳴子《なるこ》と今泉《いまいずみ》もだ。ちょっと休けいしたら外に出るぞ。

おまえらに見せたいものがあるショ」

巻島が三人をテントの外に連れ出した。

「一年、いいか、よく見ておくッショ」

足切り

巻島は一年の三人をゴールラインの見えるところにつれて行った。

「46位は、北海道帯広高校《ほっかいどうおびひろ》、山内選手《やまうちせんしゅ》！

47位は、金沢三崎《かなざわみさき》、柴田《しばた》選手！」

と結果《けっか》を伝《つた》えるアナウンスの声がスピーカーからひびいていた。

まだレースは続《つづ》いている。選手が次々《つぎつぎ》にゴールしてくるのが見えた。みんな歯をくいしばってペダルをふんでいる。

「うぉおおおおお！」

とさけびながらゴールする選手がいる。それはまるでトップ争いをしているような迫力《はくりょく》だった。

「コレだ。あいつらがなぜあんなに必死《ひっし》で走っているかわかるか？」

と、巻島は言った。

坂道は、

「え……えーと、ゴールが見えて……明日の順位《じゅんい》をなるべく上に取りたいから……ですか？」

と答えた。

横で鳴子が
「ウンコ、もれそうなんちゃいますか？」

とまぜっかえした。

「鳴子《なるこ》も今泉《いまいずみ》もインターハイ規模《きぼ》のレースは初めてショ。よく見とけショ。おまえらはあいつらの〝シカバネ〟※の上を歩いて、明日走るんだ」
巻島《まきしま》はそう言うと、ストローで一口、ドリンクをのんだ。
ヂュッと音がした。

え……シカバネ……。

坂道にはどういうことか、よくわからなかった。

そこへ
「まもなく、表彰式《ひょうしょうしき》がおこなわれます。駐車場東側《ちゅうしゃじょうひがしがわ》のイベントステージまで、みなさまおこしください」
というアナウンスが聞こえた。

※シカバネ…死んだ人の体

坂道は、

「表彰式？　まだ走ってるのに。ちょっと表彰式、早いですね。まだ選手《せんしゅ》は五十人くらいしかゴールしてませんよ。あとその倍《ばい》くらいの選手が残っているのに。なにかのミスですかね」

と言うと、巻島は、

「いいのさ……レースは終わったんだ」

巻島は、これがきびしい現実《げんじつ》なのだ、と言っているようだった。

坂道はドキンとした。
「あのな、〝足切り〟……〝タイムアウト〟ってわかるか。前にも言ったっショ。ロードレースは過酷《かこく》な生き残り戦だ。金城《きんじょう》たち先頭がゴールして、きっかり四十分後……それまでにゴールできなかったやつは……」

と巻島《まきしま》が説明《せつめい》しているときに、ゴール付近《ふきん》では係員《かかりいん》たちが時計を見ながら、赤いハタを用意し始めた。赤いハタは「レース終了《しゅうりょう》」をつげるハタだ。

「……明日のレースは走れない‼」

と巻島が言ったとたん、赤いハタがふられた。

ゴール直前でハタをふられてしまった選手《せんしゅ》が、頭をかかえて「ああああああああーー」とぜっきょうするのが聞こえた。

目の前で、足切り――――。
今泉《いまいずみ》は目を見開いた。見ちゃいけないものを見てしまった気持ちがした。

間に合わんかった――……。
鳴子《なるこ》は、あまりのざんこくさに息をのんだ。

そこへ、巻島の声が聞こえてきた。

「だらだらと時間があるわけじゃあない。全員にチャンスが平等《びょうどう》にあるわけでもない。いつまでもコースにしている一般道《いっぱんどう》をふうさするわけにもいかないからな……ゴールにからめない実力のないものは切られる」

半分もの選手が、明日……走れない
坂道は気持ちが追いつかず、頭がぼーっとしてきた。

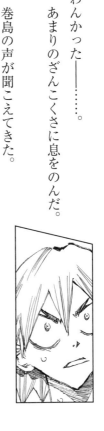

巻島《まきしま》が、

「そいつがロードレースだ」

とトドメをさすように言った。

「くそおおお、三年間、がんばったのにーーー」

とうめく選手《せんしゅ》の声がこっちまで聞こえてきた。赤いハタで、この選手のレース、そして、努力《どりょく》の三年間は終わったのだ。

巻島は話を続《つづ》けた。
「くやしくないのかって言ったな、鳴子《なるこ》。箱根学園《ハコガク》と総北《そうほく》のゴール差《さ》は〝センチ差〟だ。くやしいさ。のどをかきむしって、のたうち回るほどにな。けど、その思いは明日のかてにしまっておくんだ。今出しても、くさっちまうだけだ!!
道の上で爆発《ばくはつ》させろっショ!! 〝シカバネ〟をふんでいる覚《かく》

悟《ご》。レースが始まったら一秒だってむだにするな。どんなチャンスも、のがすな」

三人は、レースのきびしさを目《ま》の当《あ》たりにし、あらためて背筋《せすじ》がスッとのびた。

「金城《きんじょう》が明日走るのかって聞いたな、坂道」

坂道は、だまって巻島の目を見た。

「走るさ……当然《とうぜん》な」

ステージでは、表彰式《ひょうしょうしき》がはじまっていた。

「二日目　第二ステージ優勝《ゆうしょう》は、大本命《だいほんめい》　箱根学園《はこねがくえん》　ゼッケン1。三年福富寿一選手《ふくとみじゅいちせんしゅ》です‼」

とアナウンサーの声が聞こえてきた。

ふとそちらをふりむくと、福富が表彰台《ひょうしょうだい》の「1」の上にあがったところだった。

福富がもらった花たばを高く頭上にあげると、

「ハコガクゥゥゥ!!」

「王者ァァ!!」

と観客《かんきゃく》から声がかかった。

続《つづ》いて、アナウンサーは、

「二位は僅差《きんさ》。最後《さいご》におしくも勝利《しょうり》をのがした総北《そうほく》高校三年、金城真護《きんじょうしんご》選手《せんしゅ》!」と名をよんだ。金城が台の「2」のところに上がった。


金城を見ながら、巻島《まきしま》は「あいつはそれを一番よく知ってる!!」と言った。

覚悟《かくご》……!!


かりは明日返せということすね!! と鳴子《なるこ》は思った。

オレたちがオレたちの手で!! と今泉《いまいずみ》は思った。

走る覚悟が大切なんだ!! と坂道は思った。

「クハ、ったく世話ぁやけるショ、一年は」
と、一年にレースの過酷《かこく》さを教えて、テントにもどってきた巻島《まきしま》は
ドサァッといすにすわりこんだ。

ハッハァハァハァ
と、とたんに、
巻島は息《いき》あらく、ふりしぼるように言った。

「手足もげるかと思うくらい、しんどいレースだった……」

うなだれる巻島に、田所がボトルをさしだした。

「のむか?」

「いや……いい……うけとる力、残ってねぇショ」

「ガハ、おめーもかよ!!」

そのころ、表彰台《ひょうしょうだい》をおりた金城《きんじょう》は取材をうけていた。

カツカツカツ

足取りはふつうだ。

「おつかれー、金城くん。サイクルタイムの者だけど、
写真いいかな?」

足はズキズキといたむが、金城の決心はゆるぎない。

走るさ、ぜったいにな。

明日、チームのエースとして走れなくとも——。

御堂筋《みどうすじ》の決意

一方、その日の夜……。

京都伏見《きょうとふしみ》高校の宿舎《しゅくしゃ》では、なにやら不穏《ふおん》な動きがおこっていた。


「ボクは走らん、棄権《きけん》する」


そう言ったのは、御堂筋《みどうすじ》だ。

「えっ」と石垣《いしがき》は目をまるくした。

御堂筋は元気をなくしてしょんぼりし、マスクをして、ひざをかかえて部屋のすみでまるまっている。

いつものふてぶてしいオーラや、オラオラしていたたいどはどこかへ消えてしまった。

まけたショックで別人《べつじん》のように小さくなっているのだ。

みんなが心配そうな顔で見ている。

石垣《いしがき》が、

「ちょっ……ど、どした御堂筋《みどうすじ》。体調《たいちょう》が悪くて表彰式《ひょうしょうしき》に出れんかったみたいやけど、もうだいぶよくなったんやろ」

と言うと、二枚のゼッケンをびらびらと御堂筋に見せた。

「ホラ、今日おまえが獲《と》った、赤とグリーンのゼッケンや。赤は最速山岳賞《さいそくさんがくしょう》、グリーンは最速スプリント賞のしるし、これをつけて明日……」

「いらん」

御堂筋は、手でバッとはたいた。

部屋はどんよりした重い空気になっていた。

石垣がなんとか御堂筋の気持ちを変えようと、

「明日はインターハイの最終《さいしゅう》ステージやぞ‼　みんなで獲《と》ったこのポジションや‼」

と言ったが、

「走らん」

と御堂筋はうつろな目をしていた。ぬけがらだ。

こちらを見ようともしない。


一体どういうことだ、と石垣はこんらんして頭の中がぐるぐる回っていた。

そして、御堂筋が、

「そのゼッケンもすててもらってかまわんよ」

とボソボソと言った。

「御堂筋‼」と全員がびっくりして、声をあげた。

石垣が、

「たのむ！」

と、突然《とつぜん》、土下座《どげざ》した。

部屋のたたみに頭をつけて、

「走ってくれないか!! 京都伏見《きょうとふしみ》というチームはおまえが中心にまとめてきたチームや。事実《じじつ》、それが好成績《こうせいせき》を出しとる。おまえがひつようなんや」

と、たのむ。

「今、ぬけるとチームは統率《とうそつ》がとれなくなる。このとおりや!! チームのために!! 出てくれるだけでもいい!!」

しかし、御堂筋《みどうすじ》の瞳《ひとみ》には、もはや闘志《とうし》がなかった。

「すべての力を出した。それでも勝てんかった。箱根学園《はこねがくえん》と総北《そうほく》にまけた。明日走る理由《りゆう》はないやろ。悪いけどボク、京都伏見自転車部、今日で退部《たいぶ》するわ」

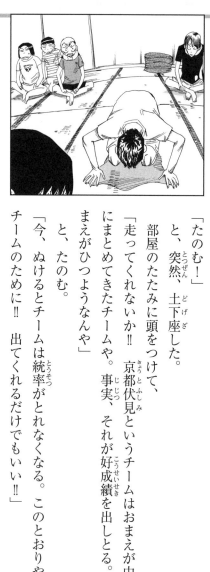

!!

そう言うと、のっそりと立ち上がり、勝手に部屋を出て行った。

「御堂筋!!」

みんなで追いかけた。

御堂筋は、宿舎《しゅくしゃ》のげんかんでくつをはいていた。だれも声をかけられなかった。

やがて外に出て、自転車にまたがると、まっ暗な夜の町に飛び出していってしまった。

水田《みずた》がぼうぜんとしながら、

「帰ってきますよね、御堂筋くん」とつぶやいた。

「夜風にふかれて、冷静《れいせい》になったら、帰ってきますよね。ハハハ」

「御堂筋《みどうすじ》くん……最後《さいご》にボソッと、なに言ってた……?」

「京都まで……この足で……帰るって……」

「……やりかねない、聞きちがえやなかったか……退部《たいぶ》……御堂筋……」

と石垣《いしがき》がくちびるをかみしめた。

御堂筋は本当に明日からのレースに参加《さんか》しないのか——。
まだ、レースはもう一日あるというのに——。

「オレはおまえが助けてくれて、三位に入ったと聞いて、心からこのチームでよかったって思ったんや。最高《さいこう》のチームやと思ったんやぞ、御堂筋……!!」

石垣は立ちすくむしかなかった。

夜のサイクリング

御堂筋は夜の山道に飛び出した。

スタートゲートをとおりすぎると、表示《ひょうじ》は明日にそなえて「3日目（最終《さいしゅう》ステージ）」に変わっていた。

昼間《ひるま》、あれだけうるさくないていたセミの声もいまはしない。夜になっても、まだムンとした熱気《ねっき》が残るなか、大きな月がしずかに上がっていた。

四百キロくらいか京都まで……脚《あし》がブルブルいっとるけど、ダラダラ帰れば、帰れるやろ。

と御堂筋《みどうすじ》は思った。

西に向かって自転車をこぎはじめたが、今日のレースのことが頭をよぎる。

「ハ。なんにも残らんレースやったわ、インターハイ」

と思わず口に出した。

そのとき、うしろから自転車が近づいてくる気配を感じた。

うしろからだれかきとる

だれやこんなときに……。

「あ……あ……あの……」

うわ、話しかけてきた。ウザキモ‼　ちれ‼

「あ、あのっ、あ、みっ御堂筋くんも買い出しですか⁉」

！

登りでついてきた⁉
知っている声……。

こいつ、千葉《ちば》の総北《そうほく》の……うざい、量産型《りょうさんがた》やない、メガネ‼

そこには自転車にまたがった坂道のすがたがあった。

「あ……えーと、ボクは部長《ぶちょう》さんにたのまれてですね、テーピングとスプレーを買いに行くんですけど、旅館《りょかん》の人に聞いたら、でっかい薬局がこの先の山のところの国道にしかないっていうことで、自転車で……」

御堂筋《みどうすじ》が聞きもしないのに、坂道は早口でしゃべりだした。

そして、「あっち」というように坂道は前を指さした。

「話しかけずに素通《すどお》りするのも悪いかなあ……って、あの、思ったんですけど……」

なんでこんなやつに、ここで会うんだ？

御堂筋はずっと無視《むし》していた。

夜風　自転車　しずけさ

それだけがあればよかったのに、じゃまものがあらわれた、と思った。

「み……御堂筋くん、ひ、一つ聞いてもいいかな?」

「ダメや、気やすく話しかけるな」

御堂筋はピシャッと言った。

どうせ、『なんでマスクしてるの』か『速《はや》く走る秘訣《ひけつ》』か、それとも『なんで表彰式《ひょうしょうしき》に出なかったのか?』だろう。

坂道は御堂筋の真横にならぶと、

「前からすごく、気になっていた……ことがあるんだけど……」

とたずねた。

ダメや言うとるやろ!!

ウザ!! キモ!! キモ!! キモ!!

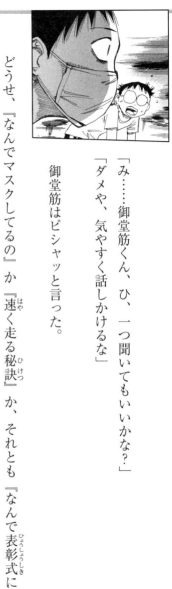

と御堂筋《みどうすじ》はふり切るように、スピードを上げた。

坂道はついてきた。

「前から『ザク』『ザク』言っているけれど、アニメが好きなの？」

「アニ？　ハア!?」

御堂筋は坂道の顔をマジマジと見た。坂道は目をキラキラとかがやかせていた。

たしかに、御堂筋は京都伏見《きょうとふしみ》のチームメイトのことを「ザク」とよんでいた。
ザクとは人気アニメ『機動戦士《きどうせんし》ガンダム』に出てくる、量産型《りょうさんがた》（使いすて）ロボットのことだ。それは、アニメにくわしい人にしかわからない言葉だった。
量産型のザクは、言われるがまま動いて、そして、やられてこわれる。でも、こわれたことをだれも気にしない。量産型ではないものは、特別《とくべつ》なロボットだ。

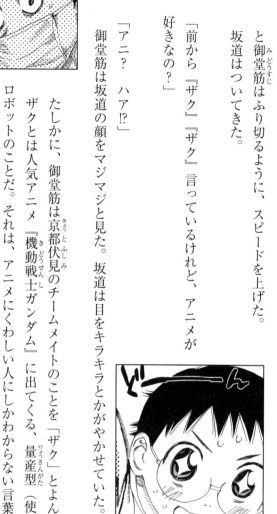

御堂筋は今日までのレースで坂道と何度かバトルして、坂道のことを「こいつは量産型やない」という言い方もした。

いっぽうのアニメオタクでもある坂道は、もしかして御堂筋がアニメにくわしいのではないかとピンときていたのだ。同じにおいがする……気が……する、と。

それで夜道の思わぬサイクリングでぐうぜん出会い、アニメオタク全開の坂道が御堂筋に話しかけたのだ。

「ザクはすばらしいと思うんだ‼　軍《ぐん》の底辺《ていへん》‼

ザクは量産型ゆえの機能美《きのうび》と強さがあるんだ‼　すごいよね」

と調子《ちょうし》にのって一気にしゃべった。

「そして、それをまとめている御堂筋くんは、いわば深紅《しんく》の隊長機《たいちょうき》なんだよね‼」

と言った。
そのとたん、御堂筋《みどうすじ》はキュッと自転車をとめた。それにあわせて、坂道もとまった。

御堂筋は、正面から坂道の顔をまじまじと見た。
アニメの話をする坂道は目がキラッキラしていた。
このときだけは、つっかえずにスラスラとしゃべれる。

おい、聞きたいことって……そんなことかい

ひょうしぬけしたのか、御堂筋は坂道の話を無視《むし》して、またこぎ始めた。一気に坂道を引きはなしていく。
坂道は追いかけながら、
「ご、ごめん。ザ……ザクくらいだれでも知っているよね、はやとちりしちゃって……あの。今のごめん。気にしないで。もしかしたら、て思っただけだから」

と言った。

御堂筋はアニメオタクではないのかもしれない、と坂道は思った。

そのとき、

「アホか。真紅《しんく》でたとえるならば、ボクは〝王立軍《おうりつぐん》〟、〝人型兵器《ひとがたへいき》〟2号機《ごうき》や」

と御堂筋は言った。

「え、王立軍⁉ し、真紅の2号機‼」

それは、坂道がいちばん好きなアニメだった。

ママチャリにシールもはってあったくらいだ。

もしかして御堂筋くん……て…、…ボクと同じくらいアニメが……好きなのかも⁉

坂道はガァァアアアっとこいで、御堂筋《みどうすじ》にならびかけた。

「み、御堂筋くん‼　山の上の薬局までいっしょに走らない？　ボク、話したいことがたくさんあるんだ」

「アカン」

坂道はこうふんしていた。アニメの話を自分と同じくらいできる人に出会ったのだ。もっともっとアニメの話がしたかった。

アニメもくわしくて、自転車にも乗っているなんて奇跡《きせき》だ、こんなこと、初めてだ、と坂道はうれしくなった。

御堂筋は、そんな坂道の気持ちを知ってか知らずか、

「むれることにイミはない。走らない。先に行け。それかボクが先に行く」

と言った。

坂道はあきらめなかった。

「ずっとボク、一人で……。アニメの話をする人がいなくて……」

もう明日のレースは走らんのや

御堂筋はそんなことを考えていた。

坂道の声が耳に入ってくる。

「……だから、一人で通っていたんだ、アキバに。ＣＤとかフィギュアとか本を集めて、毎週自転車で往復《おうふく》九十キロ！」

くだらん

「夏休みは、毎日通っていたんだ‼　かかさず」

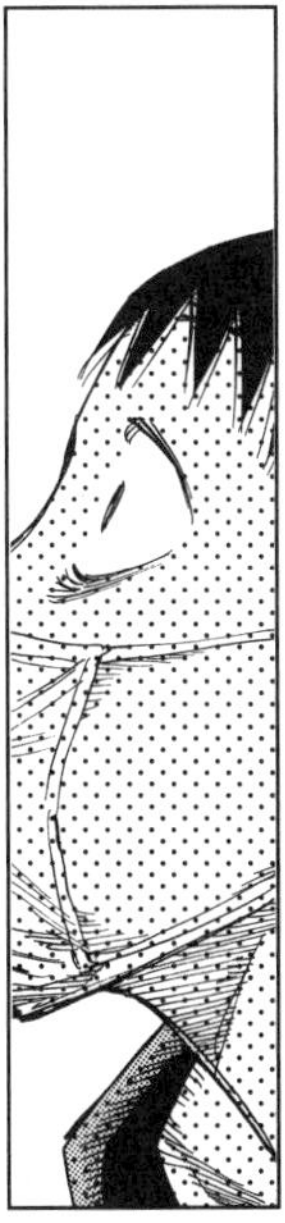

ん？　毎日……かかさず……？

夏……。

秋葉原《あきはばら》へ毎日、通っていた坂道と、

母のみまいで病院へ毎日通っていた自分と。

共通点《きょうつうてん》があるようにも思えた。

御堂筋《みどうすじ》はハッと気が変わった。

パンと自分の太ももをたたくと、

「そんなに勝負《しょうぶ》したいんやったら、やったるわ。

薬局までや……おまえが勝ったらじっくりアニメの話をしたるわ」

と言った。

薬局までの三キロ

こうして、ひょんなことから、夜中のマッチレース――薬局まで三キロの競走《きょうそう》――が始まった。

ふん！　つぎのカーブでちぎって、そのまま京都《きょうと》に帰ったるわ……と御堂筋は思っていた。しかし、

来《き》よる！　ボクの加速《かそく》についてきよる。

御堂筋が上り坂を飛ばし始めると、坂道も引きはなされずにあとを追う。御堂筋はチラリと坂道の顔を見た。

しかもキモい、わろうとる!!

坂道が、
ぐるぐるぐるぐるぐる——
とペダルを回している。
得意《とくい》の上り坂。坂道はどんどんペダルを回した。
ああああああああああああああああ
ぐるぐるぐるぐるぐる——

坂道は自然《しぜん》にわらい顔になっていく。
人っこひとりいない、夜の道。
二台の自転車がどんどん速度《そくど》を上げていく。

なんやこいつ

昨日《きのう》、今日と二回走りを見たけど、苦痛《くつう》に顔をゆがめとった。あれが全力の走りやったはず!!

御堂筋《みどうすじ》は、坂道の走りを思い出してみた。しかし今は、坂道をなかなか引きはなせない。

そこで決着をつけようと、ガシュンとギアチェンジをした。

ぶん、とペダルが重くなる。ダンシングで御堂筋は一気に前に出た。

けれど、ついてくる。

なに?

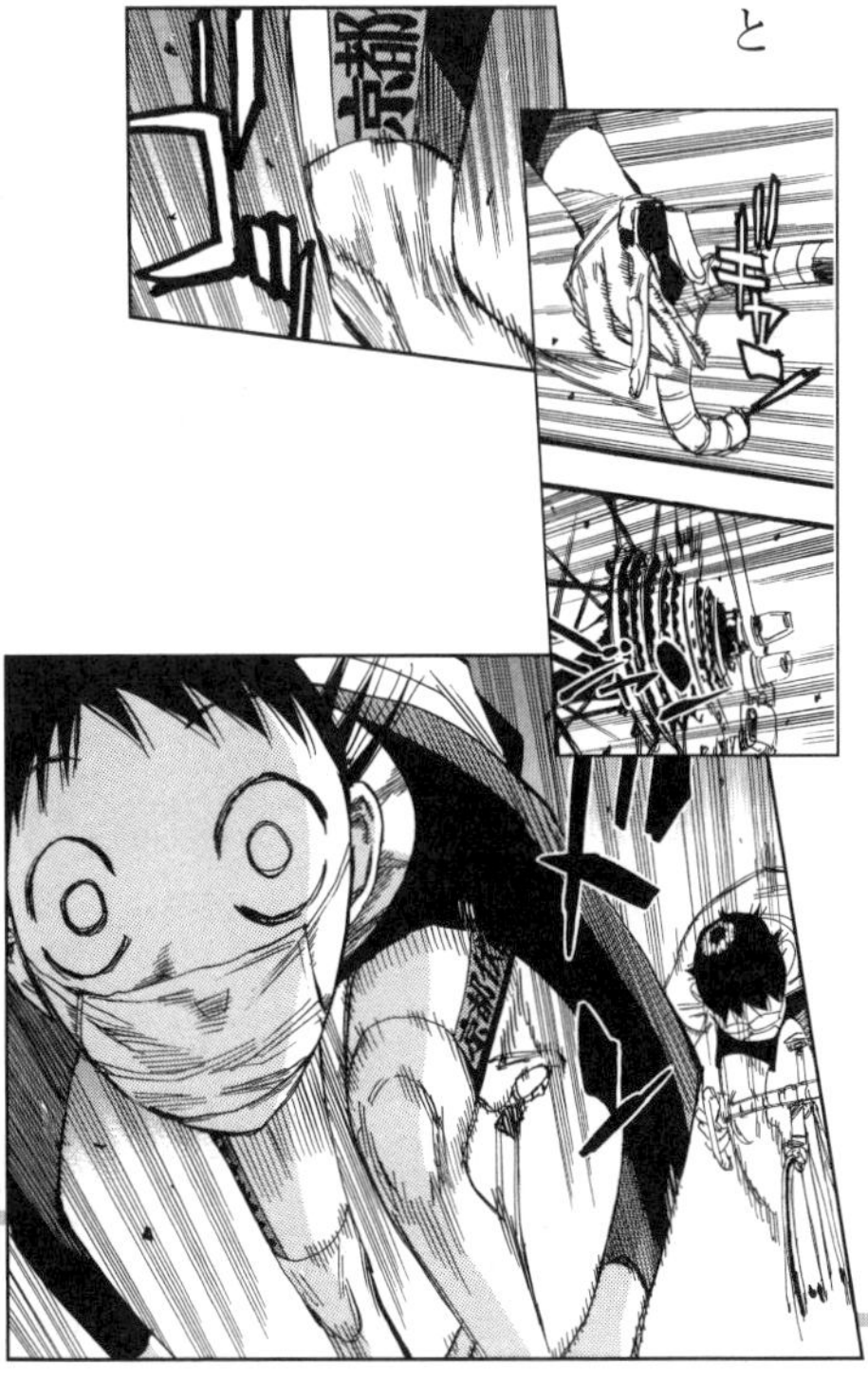

なんやこいつ……わろとるときのほう
があっとうてきに速《はや》いやないか‼
キモ‼　キモ‼　キモオ‼

二日目のレースをすばらしい走りで
あっとうして、ライバルや観客《かんきゃく》たち
を気持ち悪がらせた御堂筋《みどうすじ》が、今は
ぎゃくに、気持ち悪がっている。

ハァ　ハァ　ハァ　ハァ　ハァ
ハァ　ハァ　ハァ　ハァ

御堂筋のすぐうしろから
坂道の息《いき》が聞こえてくる。

その音すらこわい。ピタリうしろにいる。
「御堂筋くん、速いね‼」
と暗やみから坂道の声がした。

なんやねん、これ。
そもそも、ボクは今から京都に帰るんや。
ボクのレースは終わったんや。なのになぜ、こんなやつと走っとるんや
……ボクはなにがしたいんや、なにをたしかめようとしてるんや

御堂筋はムンとペダルをふんだ。道の先に薬局の明かりが近づいてきた。ゴールラインだ。

御堂筋が十メートルくらい引きはなして先に通過《つうか》した。

「やっぱり速《はや》いね……」

おくれて、坂道が着いた。

夜の競走《きょうそう》はあっけなく終わった。

坂道は自転車からおりて、肩《かた》で息《いき》をした。そして、悲しそうにひざに手をついて言った。

「今日のレースのつかれが残ってなくても……追いつかなかったよ……。

でも、ホントに……あの……王立軍《おうりつぐん》やアニメの話、できなくて、ざんねんだったよ……。

ラブ☆ヒメとか、モグリンとか。あ……あ」

そのようすを見て、

「一つだけ」

と御堂筋《みどうすじ》が声をかけると
「アニメの話ですか!?」

と坂道がいきおいよく起き上がった。目がらんらんと光っていた。

「ちがう、聞きたいことがある」

「あ……はい。なんでしょう」

「さっき、勝負《しょうぶ》をしているとき、わらっとったのは、勝ってアニメの話をしたかったからか？」

「えっ、気になってました？」

と坂道は答えた。

「なんていうか……ついつい、なんです。自転車に乗っていると、とくにだれかといっしょに走っていると、楽しくなってわらってしまうんです」

「…………」

「あ、で、でも、レース中はしんけんに走っているよ、ちゃんと。あ。でも、今日は田所さんと最後《さいご》、アニソンをうたいながら走っているところは楽しんじゃったけれど」

「キモッ……おまえキモいな」

そう言われて、

「どひゃーーー」

坂道は大げさな動きでのけぞった。

わらう。わらう……か……

ふいに、御堂筋《みどうすじ》は思い出した。
アキラ、自転車に乗るようになってから、ようわらうなぁ

そういう母の横顔を。

こっちかて、自転車で走れば、かあさんがわらうから……

自転車を好きになったんや。

御堂筋は思わず、

「キモッ」

と言った。

そして、月を見上げた。

ふぅとひと息《いき》つくと、らんぼうにくつのビンテージをペダルにハメて、夜のやみの中にこぎ出していった。

あっという間《ま》のできごとだった。

坂道は、
「あ、明日、最終日《さいしゅうび》だから、がんばろ？　あれ？　行っちゃった。
買い出しに来たんじゃなかったのかな？　……御堂筋《みどうすじ》くーーん」
と、ただ一人、薬局の外灯《がいとう》の下に取りのこされた。

おまえ、キモいな。
と思いながら、御堂筋は西に向かってまた自転車をこぎ始めた。

ミーティング

坂道が薬局の買い物を終えて宿舎《しゅくしゃ》にもどると、総北《そうほく》高校のミーティングが始まるところだった。

坂道は話を聞きもらすまいとメモ帳《ちょう》とペンを持って正座《せいざ》していた。

金城《きんじょう》はメンバーの顔を見回すと口を開いた。

「よく来た……、よくここまで来てくれた。きんちょうの一日目を経《へ》て、長く苦しい二日目をよくのりこえてくれた」

最初《さいしょ》に出たのは、〝ねぎらい〟の言葉だった。

「田所、巻島《まきしま》。そして、鳴子《なるこ》、今泉《いまいずみ》、小野田、……ありがとう」

そう言うと、金城は体を折《お》り曲《ま》げて、おじぎをした。

「うおっ」と鳴子《なるこ》がおどろいた。

坂道も、「えっ」と目をまるくした。

鳴子が
「気持ち悪いスわ、急に。不意打《ふいう》ちスか‼」とさけんだ。

「なにか悪いもんでも……」食べたのか、と今泉《いまいずみ》が言いかけた。

これまで、金城主将《きんじょうしゅしょう》のそんなすがたは一度も見たことがなかったからだ。

いつも気高《けだか》く、少しこわかった。

「ここまで来られたのはおまえたちのおかげだ」

金城は直立不動《ちょくりつふどう》でそう言った。

「だれ一人がかけても、ここへはたどり着けなかった」

坂道は話に引きこまれた。

「今日の結果《けっか》……二位にあまんじているわけではない。だが、終わったことをくいても、

時がもどらないのもロードレースだ。チャンスはある。明日はそれを生かせばいい。過去《かこ》は、賞讃《しょうさん》しろ」
賞讃という むずかしい言葉を金城はつかった。意味は「ほめたたえる」ということだ。

落ち着いた金城の声が部屋にひびく。

「動けなかった田所を引いてくれた小野田。

チームを引いてくれた田所。

弱《よわ》った今泉をチームでささえて、その今泉は最後《さいご》、かんぺきなアシストをやってくれた。

つらい合宿《がっしゅく》や、手嶋《てしま》や青八木《あおやぎ》の戦いがなければ、ここにこの六人もそろっていない。

最高《さいこう》の仕事だった。全員がだ‼

マネージャーや、監督《かんとく》のアドバイス……。

かかわったすべてがあって、ここにいる。

そして、明日、三日目——最終日《さいしゅうび》だ。ふり向くな。

オレたちのやったことはなに一つまちがってはない‼」

「おぉお」

みんな、自然《しぜん》と声が出た。団結感《だんけつかん》が出た。

巻島《まきしま》がだれにも聞こえないような小さな声で、「くさいことをいうショ」とつぶやいたが、坂道は金城《きんじょう》の話を聞いて目がキラキラしてきた。

金城は続けた。

「ただ――ひとつだけ覚悟《かくご》をしておいてくれ。明日は最後《さいご》のレースだ。だれもが死ぬ気でしかけてくる。箱根学園《はこねがくえん》も〝チャンスがあれば動く〟という戦略《せんりゃく》でくるだろう。今までとまったくちがった展開《てんかい》になる。過酷《かこく》さも――おそらく明日三日目、最終日《さいしゅうび》は、――」

そこで、金城は、声のボリュームを少し上げた。

「田所、巻島、鳴子《なるこ》、今泉《いまいずみ》、小野田、そしてオレもだ――全員がかならずゴールできるわけではない」

えっ

坂道は、キョトンとなった。想像《そうぞう》していた言葉ではなかった。気分がもりあがる言葉ではなく、少し悲しい言葉だった。

金城は、

「きずついたもの、限界《げんかい》になったものは、おいていけ。たとえチームメイトでもだ。明日は今日のような救出《きゅうしゅつ》はしなくていい」

総北《そうほく》メンバー全員の顔が引きしまった。

「状況《じょうきょう》は一刻《いっこく》ごとに変化する。
おそらく、〝想定《そうてい》できない事態《じたい》〟もおこる。変化に対応《たいおう》し、ワンチャンスをのがすな。
チャンスをつかんだものは、おいていったものの〝心をつんで〟走ればいい」

…………

坂道はまばたきするのもわすれて金城《きんじょう》の話を聞いている。

「ぜったいに」

ぜったいに……

「その覚悟《かくご》だけはわすれるな」

と金城は言った。

おいていく……覚悟……

メモは取らなかったけれど、その言葉は坂道の心には深くきざまれた。

「おいていく、覚悟」。

そのころ、箱根学園《はこねがくえん》のテントでは、明日のために自転車の整備《せいび》が行われていた。

東堂《とうどう》が
「一台、ないな、バイク」と真波《まなみ》の自転車がないことに気がついた。

「ええ、整備のとちゅうだったんですけどね、あいつがどうしてもトレーニングに行くんだって言うんで。よくやりますよ。今日もさんざんロングステージの二日目を走ってきたっていうのに」と整備スタッフが話す。

「まァ、仕方がないな、それは。いてもたってもいられんのだよ。明日三日目にはインターハイ最大《さいだい》の登りが待《ま》っているからな」と東堂は言った。

真波《まなみ》は、宿舎《しゅくしゃ》をぬけ出して、このあたりをひとっ走りしていた。ねむれなかったのではない。整備中《せいびちゅう》の自転車にまたがって、坂を登ってみた。

「ダメだァ……登っていると、どうしてもわらっちまう‼ きんちょうかんをもたないといけないのに……」

と言いながら、いてもたってもいられない気持ちをなだめていたのだ。

第二章 最終日《さいしゅうび》

総北《そうほく》出動

決戦の朝が来た。

総北《そうほく》高校の六人は、スタート地点のテントに集まっていた。

黄色いサイクルジャージをしっかり着こみ、準備《じゅんび》ばんたんだ。

マネージャーのミキはドリンクの準備、手嶋《てしま》や青八木《あおやぎ》は自転車の最後《さいご》の調整《ちょうせい》にいそがしい。

鳴子《なるこ》が、しっかり点検《てんけん》するようにシューズのとめ金《がね》をパチパチッととめながら、

「さぁあて!!　来たで来よったでスカシ!!」

と今泉《いまいずみ》に話しかけた。

「ああ!!」

と、ドリンクをのみながら、今泉も力強くこたえた。

坂道は、きんちょう気味に

「今日が最終《さいしゅう》ステージ……今日、一番でゴールしたチームが、インターハイ……優勝《ゆうしょう》……‼」

とつぶやいた。まだスタートまでは時間があるのに、坂道の心臓《しんぞう》は早くもドクンドクンとたかなっていた。

パン

と坂道の肩《かた》を巻島《まきしま》がたたいた。かわいた音がテントの中にひびいた。

「クハ‼　行くぞ、頂点《テッペン》」

と巻島が言うと、

「はい‼」

と一年三人が大きな声で返事をした。気合が入っている。

その横で、田所が金城《きんじょう》に
「どうだ、金城、ヒザは？」

と聞いた。

金城は
「問題《もんだい》ないさ。回復《かいふく》している」と答えた。

そして、メンバーに、

「総北《そうほく》は、オレたちは、六人でここまできた。あとは全員全力。すべての意志《いし》をひとつにして、ゴールを獲《と》るだけだ!!」

と伝えた。

選手《せんしゅ》たちはしっかりと金城の話を心にきざんだ。

「みなさん、がんばってください！」
というマネージャーのミキの声と同時に、総北のメンバーは、一人ひとり、ミキとタッチしながらテントの外へ出た。

それぞれがよく整備《せいび》された自転車を手にして。

「行くぞ、総北‼」

と、金城がひときわ大きな声を出した。

おおおお‼

全員がそれにこたえた。

集合時間

天気は快晴《かいせい》だ。

山の向こうに大きな夏の入道雲《にゅうどうぐも》が二つ、立ち上っている。

スタート地点はすでに、じんどる観客《かんきゃく》でざわついている。

そのかたわらで、取材のカメラマンたちが望遠《ぼうえん》レンズをかまえて選手《せんしゅ》の登場を待《ま》っていた。

最初《さいしょ》にさっそうと現れたのは、ブルーのジャージ、箱根学園《はこねがくえん》だった。

先頭は、昨日《きのう》のトップレーサー、福富《ふくとみ》だ。とたんにシャッター音がなりひびいた。ゆうぜんとあるく新開《しんかい》、肩《かた》をいからせた荒北《あらきた》、自信満々《じしんまんまん》の東堂《とうどう》、そして泉田《いずみだ》、真波《まなみ》と続《つづ》く。

「うおお、ハコガク来たァ」

「ハッコガク　ハッコガク」

とスタート地点で歓声《かんせい》があがった。

「今日もやれよ‼」

「福富ーーー‼」

「山神《やまがみ》いーーーー‼」

応援《おうえん》の声がとぎれない。

「今日だ。強者――そのすべてを証明《しょうめい》するときが来た‼」

そう言って、福富はジャージの前のチャックをキュッとあげた。

「……うん、いい。最高《さいこう》の風だねっ」

と、真波がつぶやいた。

そのころ、坂道は自転車にまたがって、スタートゲートを目指《めざ》していた。

「スタート十五分前です。各選手《かくせんしゅ》はスタートラインにならんでください」

というアナウンスを耳にしながら、坂道は一歩一歩ペダルをたしかめるようにふんでいく。車輪《しゃりん》がスムースに回って、顔に風があたった。

ドキドキする……　きんちょうする……

すごいピリピリした空気だ。でも手嶋《てしま》さんが言っていた。

「きんちょうしそうなときはまわりを見るな。後続《こうぞく》とのタイム差《さ》とチームの人数を考えれば、ほかのチームは無視《むし》できる。箱根学園《はこねがくえん》だけに集中すればいい」

昨日《きのう》の夜、手嶋は自転車のホイールをみがきながら、坂道にこう言ったのだ。

「チームが六人全員、そろっていることが大事なんだ。人数がいればそれだけチャンスがふえる。助けあえる力になるんだ。ほかの有力《ゆうりょく》チームは、昨日二日目の足切りで、どこも人数がけずられている。

今日のレースははっきり言って、オレたち総北《そうほく》と箱根学園の一騎《いっき》うちとなる‼

ほかは無視しろ、心配するな」

坂道の耳には、いやがおうでも観客《かんきゃく》の声が入ってくる。

「どっちが勝つかな、千葉《ちば》?」

「いやいや、ハコガクだろ、王者だぜ」

観客だって、そわそわしているし、スタートのきんちょうが高まっている。

そこへ、

「ええ、天気じゃのう」

とどこかの方言が聞こえてきた。

「インターハイのルールは単純《たんじゅん》でエエのう。とちゅうでなにがあっても、どうやっても、今日、三日目に先頭でゴールしたもんが勝ちじゃけんのう」

あざやかな緑《みどり》色のジャージを着こんだ、茶髪《ちゃぱつ》の選手《せんしゅ》。つり上がったまゆ毛すらも茶色にそめている。毛先を指でくるくるといじりながら、自転車をおしてスタート待機場所《たいきばしょ》に着こうとしている。

ジャージには、「広島《ひろしま》」と書いてある。

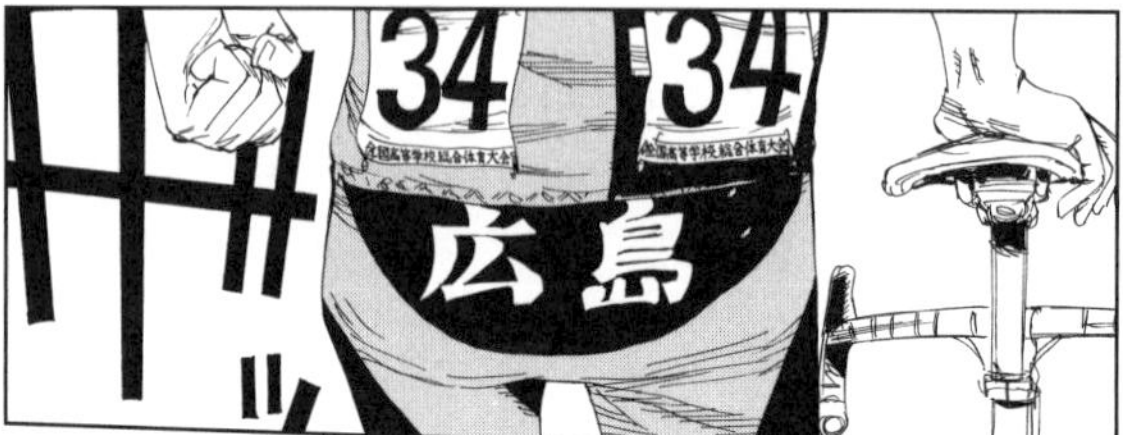

緑《みどり》ジャージの男

「スタート十分前です」
とアナウンスがあった。

オオオオオオオオ
がんばれよ——
ハコガクー!!

待《ま》ちきれない観客《かんきゃく》の歓声《かんせい》が地ひびきのように、スタート地点にこだました。

自転車がずらりとならんだ。

白いラインの一番前には、一位、箱根学園《はこねがくえん》の福富《ふくとみ》と、二位、総北《そうほく》の金城《きんじょう》がならんで、スタートの合図《あいず》を待《ま》つ。

そのうしろに、総北の五人と、箱根学園の五人がいる。

選手《せんしゅ》たちは思い思いに精神《せいしん》を集中させている。

坂道はまだ、ヘルメットはかぶっていない。一度、つばをのみこんだ。

「鳴子《なるこ》くん!!」

きんちょうにたえかねたのか、坂道が大きな声を出した。

鳴子は、

「カッカッカ」とわらった。

「小野田くん、いつもの、いくか!!　根性注入《こんじょうちゅうにゅう》!!」

「うん!!」

と坂道は返事をした。

ほかの選手たちはうで組みをして微動《びどう》だにしない。ただ、時間が来るのを待つ。

「九分前です」とアナウンスが時間をきざんでいく。

ミキは、フェンスの外側《そとがわ》からそのようすを見ていた。アスファルトのレースコース上で気合を入れる選手たち……。レースのスタート前はいつだって胸《むね》がたかなるけれど、今朝《けさ》はとくべつだ。インターハイ。それも最終日《さいしゅうび》なのだ。

すごいきんちょう感……見ているこっちもふるえてくる!!　まけないで、みんな!!
今年のインターハイ、最後《さいご》のレース!!
とエールをねんじた。

そのとき、ミキはうしろからだれかに肩《かた》を組まれた。「きゃっ」と声を上げた。

「かわいいのう、キミ。カレシおるの？」

あせと香水《こうすい》のまざったにおいがした。緑《みどり》のジャージ、茶髪《ちゃぱつ》の男が顔をよせてきたのだ。

　スタート直前なのに、ミキに気安く声をかけてくる選手《せんしゅ》がいるとは……。

「なあ、キミは一年生？　エエ？　おらんの？」

ミキの肩に手を回すとぎゅっと強くだきよせた。ミキはびっくりして、かたまってしまった。男はそんなことにはかまわず耳元でささやいた。

「ほな、ワシとつきあわんか？　このレースが終わったら」

気づいた手嶋《てしま》が、「おい、はなれろよ！」とさけんだ。

その声を聞いた鳴子《なるこ》が「なんやねん、あいつ！」とふり返った。

男は、

「もちろん、ただでとは言わんよ。このレース、ワシがトップでゴールしたら――でどうじゃ？　つきあおうや。それでどうや？」

ミキは男をにらんだ。

スタートライン上の福富《ふくとみ》と金城《きんじょう》もギロっと男をにらんだ。
ミキは男の手をぐいっとおいやり、きっぱり言った。
「それは無理《むり》です！　トップゴールもありません！　後続《こうぞく》とは秒差《びょうさ》がありますし、わたしたちはこの日のためにきびしい練習をしてきましたから」
キリっとしたたいどで男にそう言った。

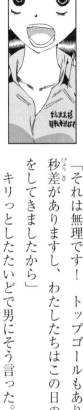

「なかなかロードレースをワカっとるおじょうチャンじゃ。一理《いちり》あるのう」

緑《みどり》ジャージの茶髪《ちゃぱつ》男はそう言うと、自分の前髪《まえがみ》をクルクルとつまみながら、反対の手で自分の胸《むね》をトンとたたいた。

「けどワシ、モっとるよ？」

自分の胸をさしながら、

「ホシをモっとる！」

星？

みんなが聞き耳をたてた。

「ワシは広島呉南工業《ひろしまくれみなみこうぎょう》三年の待宮栄吉《まちみやえいきち》じゃあ。エエ、むかしから悪運《あくうん》が強いほうでのう。最後《さいご》の最後で勝つんじゃ、ワシ、これが、オモシロイくらいに」

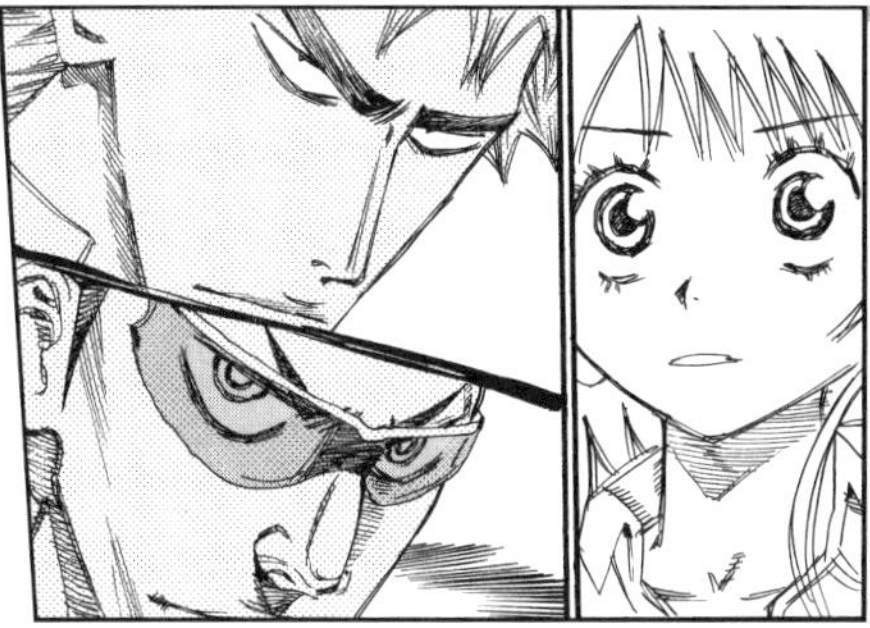

いつの間にか、だれもがこの男のほうを見ていた。坂道も口をポカンとあけて、聞き入った。

「一日目——、ワシ、小田原《おだわら》のクランクで落車《らくしゃ》にみまわれたんじゃ。うちのメンバー、三人もじゃ」

あ、小田原……落車——！

坂道は思い出した。自分もまきこまれた、〝あれ〟※だ。坂道はこけたおかげで最後尾《さいこうび》になってしまった。

男は言った。

「けど、まとまって走って追い上げて、気づいてみれば昨日《きのう》——二日目の足切り五十人……今日も走れる五十人の中に、うちのチームは六人全員が残っとるんじゃ‼」

※あれ…『小説《しょうせつ》 弱虫ペダル』第6巻参照《かんさんしょう》

六人の緑《みどり》のジャージの胸《むね》には、「呉南工業《くれみなみこうぎょう》」と書いてあった。

坂道の心臓《しんぞう》がドクンと音を立てた。

手嶋《てしま》さんが言っていた――

六人そろっていることが大事だって。

そろっているのか……この人のいる広島《ひろしま》のチームも……。

箱根学園《はこねがくえん》と総北《うち》以外《いがい》で……六人!!

男は、ひょーいとジャンプしてフェンスをこえると、ずかずかとコースに入ってきた。

そして、先頭の総北《そうほく》高校のほうへ近づいてきた。

この男のスタート順《じゅん》はもっとうしろ。だからまだコースに入らず、バックヤードで待機《たいき》

していたのだ。なのに、わざわざスタート直前の先頭にむかって、ツカツカと歩いてくるものだから、だれもがふしぎに思った。

モってる男、待宮《まちみや》

「総北サン、おたくらモっとる!?」

ミキにちょっかいを出した男は福富《ふくとみ》と金城《きんじょう》に近づいた。

「〝ホシ〟じゃ……〝ホシ〟。勝利を引きこみ、ツキをよびこむ〝ホシ〟!!」

自分の胸《むね》をぐいっぐいっとおすような動きをしながら、大きな声でせまってくる。箱根学園と総北のすぐそばまで来たが、福富も金城も動じるところはない。

男は一人で続《つづ》ける。

「え？　ワシか？　ワシはモッとるよ⁉　エエ‼　たぶん、おたくら以上《いじょう》に‼」

まかふしぎな男の登場に、スタートレーンはしずまり返った。

「いよいよスタート、八分前です」とアナウンスの声がスピーカーからひびいた。

金城《きんじょう》は思い出した。

この男、前回大会で総合《そうごう》三位の広島呉南《ひろしまくれみなみ》のエース、三年の待宮《まちみや》……‼

「オイコラ、ワイら集中しとるんや。前に出んなや、ボケ」

と鳴子《なるこ》が待宮の暴走《ぼうそう》に待《ま》ったをかけた。

「エッエ、少しじゃ少し。用が終わったらすぐにハケる※けん。こういうときはおたがいさまじゃろ」

と、わかったような、わからないようなことを待宮は言った。

※ハケる…舞台《ぶたい》から退場《たいじょう》すること

坂道は、

な、なんだこの人……せっかく……みんな
スタート前でいいふんいきだったのに……

と気持ちがかきみだされた。

鳴子が

「お⁉ おたがいさまて、待《ま》てコラ。おまえが一方的に割りこんできとるんやろ、おい！」

とカッとなって、まくしたてた。

「エエ‼ 実はワシ、まほうをツカえるんじゃ」

待宮は、鳴子を無視《むし》して、金城のまん前で立ちどまった。

「金城くん……」

金城《きんじょう》をじーっと見つめた。
なにが起こるのか、だれもがかたずをのんだ。
「なにするつもりだ」とだれかがさけんだ。

待宮は金城の右手を両手でぎゅっとにぎった。

ごしごし　ごしごし

とつぜん、手のこうの筋《すじ》をさすり始めた。そして、

「めちゃめちゃきんさだったらしいの。昨日《きのう》のゴール前」

とひとり言のように話し始めた。

指は金城の手のこうをゴシゴシしている。金城はされるがままだ。

「エエ!!」

待宮がニヤッと口角《こうかく》をあげた。

「チームはとちゅうでバラバラになったのに、気がつきゃ、最後《さいご》はハコガクとごかくのゴールスプリント……いやあ、ホント、金城クンはモっとるね、〝ホシ〟」

と言いながら、待宮は力を入れて金城の手のこうをこすった。

ぐっぐっ　ぎゅうう

しばらく、ひとしきり、こすってから、満足がいったのか、

「うん、うん、うん!!」

と言いながら金城の手をはなした。

その異様《いよう》な光景《こうけい》にみんなが立ちつくしていた。

「福富《ふくとみ》くん‼」

と、今度は、福富の両うでをがぁしッとつかんだ。

「エエ‼」

と言いながら、うで組みをしたままの福富の二のうでをごしごしともむようにこすった。待宮《まちみや》はこうふんしている。目がかがやいている。

福富はされるがままだ。

ごしごしごし　ごしごしごし

「なんのつもりだ。やめろ！」

と福富がようやく言った。待宮は気にせず

「モっとる、モっとる、キミもモっとるね、〝ホシ〟。第1ステージ、第2ステージ……連《れん》続《ぞく》優勝《ゆうしょう》……ダブルイエローゼッケン‼　いやあ～～～ゴイス～じゃ」

「やめろと言っている」

「もう少しじゃ……もう少したのむわ……なァ」

ごしごし　ごしごし　ごしごし

待宮は福富の太い二のうでをこすりつづけた。

「これがワシのまほうなんじゃ。ワシこうやって、モっとるヤツの〝ホシ〟をすいとることができるんじゃ、エエ‼」

金城と福富はゾッとした。

待宮《まちみや》は、
「全部すいとるまでじゃ……なァ？」
となめるような口調《くちょう》で言った。

「おい」

と箱根学園《はこねがくえん》の東堂《とうどう》がさけんだ。

荒北《あらきた》も、

「ふざけた陽動作戦《ようどうさくせん》※をやってんじゃねーぞ、このボケナス!!」

と、待宮になぐりかかろうとした。

「やめろ荒北」と福富《ふくとみ》がとめた。

「かまわない」

「ち!!」

と荒北は待宮をにらんだが、待宮は

※陽動作戦《ようどうさくせん》…敵《てき》の注意をそらすために、まるで関係《かんけい》のない目立った動きをすること

悪びれることなく、自分の前髪《まえがみ》を指でクルクルとまいてニヤニヤしていた。

福富が、

「そういうものは信じない‼」

ときっぱりと言った。

すると待宮がだれに言うともなく、

「去年《きょねん》のインターハイ、ワシ、エースでのう。最終日《さいしゅうび》の三日目。残り五キロで六番手で走っとったんじゃ。タイム差《さ》は絶望的《ぜつぼうてき》……けど……残り三キロ……」

「六番手……」

坂道は耳をかたむけた。待宮は続けた。

「前を走っていた自転車がパンク。残り一キロでその前のヤツが落車《らくしゃ》……。その前のヤツがコースミス……。気づけばワシ、総合《そうごう》三位の表彰台《ひょうしょうだい》にのぼっとったんじゃ」

その話に、みんなおどろいた。

「こいつ……とんでもねェラッキーマンか‼」と田所がつぶやいた。

「今日の三日目、ワシら呉南《くれみなみ》とキミら先頭の差《さ》は十五分――正直、キビシイ分差《ふんさ》じゃ。それをひっくり返すのは相当無理《そうとうむり》がある。エエ、けど、百パーセント無理じゃあない‼」

そう言うと、ニカっとわらった。

「なにが起こるかわからんのがロードレースじゃ‼」

と大声でさけぶと、両手をザッと鳥のように広げた。

待宮《まちみや》のパフォーマンスに、みながただただのみこまれていた。

「あ……ちょ……あ、あの……待《ま》ってください」

突然《とつぜん》、坂道が大きな声を出した。

おかしい、
みんなのふんいきがヘンになっている
なんとかしてかえないと……ボクが――

と坂道はなんとかしたい、と思った。そして、
「総北《そうほく》は！　ボクがーー」
と言いかけて、いきおいこんだとき、自分の
自転車につまずいてバランスをくずした。

ぐらっ
ドシャッ
ゴン

「わ‼　のわっぷ」

坂道は自転車ごと顔面《がんめん》からアスファルトに落ちた。

鳴子《なるこ》、田所、巻島《まきしま》があわてて、

「小野田‼」

とかけよった。

坂道は、地面にはいつくばったまま、「そ、総北《そうほく》は……」とそのまま話し続《つづ》けた。顔をうったがメガネは割れていない。

「がんばります‼」

顔を上げると、
「もってるかどうかわかりませんけど、総北は全力でがんばります‼」とさけび返した。
ふり向いた待宮《まちみや》は、プッとわらった。
そして、髪《かみ》をいじりながら言った。

「スタート前から落車《らくしゃ》とは、トホホじゃのう、キミ。モッてないのぅ」
〝モッてない〟と言われて、坂道はうろたえた。
「気のどくついでに、一つクイズじゃ。〝小野田くん〟は一年生か?」
坂道は道にうつぶせになったまま、口をぽかんと開けて待宮を見上げた。

待宮は髪の先を指でクルクルとまきながら、

「ロードレースにおいて、もっとも必要不可欠《ひつようふかけつ》なものはなんじゃと思う?」

とクイズを出した。

坂道が答えを考えていると、待宮が自分の胸《むね》を自分の指でたたいてみせた。

「今までの話を聞いとりゃわかる。サービス問題《もんだい》じゃ。そうーー〝ホ〟?」

すると坂道は、ピンポンボタンをおすみたいに、アスファルトをパンとたたいた。

そして、

「じ、自転車!!」
と大声で答えた。
待宮《まちみや》はあきれた表情《ひょうじょう》をした。

「で……ですか……ちがいますか?」
と坂道はもごもごとつけくわえた。

「エッエッエッエ。
総北《そうほく》にはおわらい担当《たんとう》までおるんか、よゆうあるのう!!」
待宮は問題《もんだい》の答えにはふれず、とっとと歩いていくと、ひらりとフェンスをこえた。

そして、ふりむきざまに
「せいぜいガンバって、〝小野田くん〟」
とひとこと言うと、

「フヒ」
とそこにいたミキに顔をよせた。
ミキは待宮をふりはらうと坂道の方へかけ出した。
「だいじょうぶ？　小野田くん、血、出てる！」

待宮がいなくなって、スタート地点にはざわめきがもどった。
待宮は、呉南《くれみなみ》のメンバーが待《ま》っているところにゆうゆうともどってきた。待宮のゼッケンは31番。二《ふた》けただ。去年三位の3とエースの1、だからゼッケンは31。
呉南の一つ前にいるチームの選手《せんしゅ》たちが、「去年、表彰台《ひょうしょうだい》だった呉南が、なんで今年はこんな後方集団《こうほうしゅうだん》にいるんだ？」とこそこそと話をしている。
待宮は、聞かれたわけでもないのに、

「ワシらには、ワシらの勝ちかたがあるんじゃ!!」とわざと聞こえるように答えた。

「エエ!! 三日目、最終日《さいしゅうび》は、はりつめたきんちょう感と疲労《ひろう》……いろんな思いがぐちゃぐちゃにまざりあう……。こういうときに登れたりするもんなんじゃ、表彰台《ひょうしょうだい》の一番高いトコに!!」

そのとき、「スタート五分前です」とアナウンスがひびいた。

紫《むらさき》ジャージの男

スタートラインの一番前、バルーンゲートの真下に、福富《ふくとみ》と金城《きんじょう》の背中《せなか》が見えている。

そのうしろの列《れつ》で、京都伏見《きょうとふしみ》の石垣《いしがき》がうでを組んでスタートを待っていた。

あたりは観客《かんきゃく》の熱気《ねっき》でもりあがっている。

五分前……!!

来ない……!!　御堂筋《みどうすじ》……!!

石垣は御堂筋のことで頭がいっぱいだ。

「あと五分で第一走者《だいいちそうしゃ》が走り出します」とふたたびアナウンスがあった。

昨夜《さくや》、「退部《たいぶ》するわ」と言い残して、宿を飛び出した御堂筋。

本当にあのまま、もどったのか。この富士山《ふじさん》のふもとから京都《きょうと》へ、自転車をこいで。

「ボクは走らん」と言った横顔が思いうかぶ。

あのときの御堂筋《みどうすじ》は、目がうつろで生気《せいき》がなく、心ここにあらずだった。マスクをして、大きな体を宿舎《しゅくしゃ》の部屋のすみでまるめていた………。

御堂筋………。

前日三位をすてて、レースを終えるんか……
せっかくここまで来たんやぞ
まだ間に合う　まだ……
来い……!!

石垣《いしがき》は心の中で何度もくり返し、いのった。
そのとき、「やっぱり来ないすね。御堂筋のヤツ」と水田《みずた》がつぶやいた。

……!!

「水田、こいつちょっとたのむ。もう一回だけ、さがしてくる」

と石垣は自転車を水田にあずけた。

「え!?　石……石垣さん!?」

と水田はおどろいた。

「もうスタートですよ」

「かならずもどる」

石垣の声がうしろから聞こえてきて、
箱根学園《はこねがくえん》の荒北《あらきた》が「来ねえ……のか。あの口の悪い男……御堂筋」と言った。

新開《しんかい》が
「口の悪さじゃ他人《たにん》のこと、言えないぜ、靖友《やすとも》」と言った。新開は補給食《ほきゅうしょく》をモグモグと口にしていた。泉田《いずみだ》が「昨日《きのう》の表彰式《ひょうしょうしき》も京都伏見《きょうとふしみ》は代理《だいり》でしたからね。ダメージがすごかったんでしょうか、彼《かれ》」と言った。

昨日《きのう》二日目のトップ争いをした選手《せんしゅ》が、スタート地点に一人、かけている——という異様《いよう》な光景《こうけい》。

メンバーが御堂筋《みどうすじ》のことを話しているのを聞きながら、福富《ふくとみ》は

一点のくもりもない勝利《しょうり》への執着《しゅうちゃく》……、走り……それがうら目に出たか御堂筋!!

三日間走ることさえむずかしい。それがインターハイのきびしさ。最終日《さいしゅうび》、スタートラインに立つことさえむずかしい。


と思った。

御堂筋がこないドタバタに、東堂《とうどう》が
「真波《まなみ》……よく味わっておくのだな。このプレッシャーをのみこむ強さがなければ、勝利はありえないのだ」
とおもおもしく言った。

東堂のとなりで、真波は自転車にまたがったまま、スースーと寝息《ねいき》をたてていた。

「ねてる……!!」

東堂は目をまるくした。


ハ!!　オイオイ!　この大歓声《だいかんせい》も、プレッシャーも、子守歌というのか、真波!!　こいつは――!!


「三分前です」のアナウンス。あと百八十秒後にスタートだ。

「あれ?　石垣《いしがき》さん、どこに行くんですか!」

テントにむかって走る石垣と京都伏見《きょうとふしみ》の補給部隊《ほきゅうぶたい》がとちゅうですれちがった。

「わすれもんや、すぐもどる!」

どこや、御堂筋《みどうすじ》。
オレは昨日《きのう》、六位やったんや。インターハイでステージ六位や。それもおまえのおかげや、御堂筋‼

京都伏見《きょうとふしみ》のテントを
バッとあけた。
だれもいない。

どんなにおまえが二日目にボロボロになっとっても、
オレがゴールまで連れてったる……よ
だから…………‼
来いよ……いっしょに走ろうやないか　御堂筋‼
石垣《いしがき》は心の中で、ひっしに御堂筋によびかけた。

時間がない……!!

「二分前です」のアナウンスが聞こえて、石垣はテントを出た。
またスタートラインに向かってダッシュだ。荷物《にもつ》をテントに運び
こもうとする補給部隊《ほきゅうぶたい》とぶつかりそうになった。

「うわ、石垣さん」

「御堂筋をさがしとったんや」

「えっ、あいつ、部活やめて京都に帰ったんやなかったんすか」

「わかっとるーーー!!」

と石垣は走りながらさけんだ。

わかっとる、けど、
オレは
おまえを

信じたい
昨日《きのう》にまけん
最高《さいこう》のアシスト
キメてやるから‼　来い‼
御堂筋《みどうすじ》‼

石垣《いしがき》は、夢中《むちゅう》で走った。スタートラインの方から「うあああ」と声が聞こえてきた。

「一分前です」のアナウンスが聞こえてきた。

「なんや……アカンやろ」

突然《とつぜん》、目の前にあらわれた人かげが石垣の心臓《しんぞう》をドクンとさせた。

京《きょう》……都《と》伏見《ふしみ》ジャージ……‼

「なァ」と長身《ちょうしん》の男がマスクをはずした。
まるぼうずになって帰ってきたのだ。

「こんな時間にこんなところでうろついとったら……石垣くん。スタートで待《ま》っとかな。キミはボクのアシストなんやから‼」

紫色《むらさきいろ》の京都伏見のジャージに、91番のグリーンゼッケンと、91番のレッドゼッケンがたてならびにはってある。

「み……」と石垣は目の前に見えるものが信じられない、という表情《ひょうじょう》だ。

「うあああ、髪《かみ》！」とメンバーがさけんだ。

「……もどってきたのか‼」

と石垣《いしがき》は満面《まんめん》のえみをうかべてさけんだ。

悪い予感《よかん》

「来る……そういう感じだ」

と真波《まなみ》がふと顔を上げた。目を覚《さ》ましたようだ。

「あれ？ 今、東堂《とうどう》さん、オレに話しかけてました？」

「フ……いや、ねるとはいい度胸《どきょう》をしていると言ったのだよ」

荒北《あらきた》が、

「スタート前に、ねんじゃねーよ、バァカ」と言った。

「いやあ、集中してたもんで。まわりの音をしゃだんしてるとホラ、ねむたくなるじゃな

いですか」と真波が言うと、荒北が、「あ⁉　ならねーよ」と返した。

「オレはいつもこうして、一度リセットしてから走るんですよ……本気のときは」

そう言った真波の顔がマジだったので、東堂も荒北も福富《ふくとみ》もハッとなった。

真波は、

「インターハイ最大《さいだい》の山で最高《さいこう》の勝負《しょうぶ》をする。それが今はオレ、たまらなく楽しみなんだ‼」

こいつ……本当に集中力をアゲてやがる、と東堂はおどろいた。

真波は、スタート直後《ちょくご》の登り坂を目の前に見ながら、レースをイメージした。

相手《あいて》はたぶん……同じクライマーの東堂《とうどう》さんになるかな——いや
総北《そうほく》の巻島《まきしま》さんもだ
ああ　そう
この人も　登る人だね
強敵《きょうてき》だ

そのとき、

「なんだ!?」

「え!?」

「うわっ」

と声がした。

真波《まなみ》の横を通って、御堂筋《みどうすじ》が三番手スタートの位置《いち》につこうとしたからだ。

「おお！　御堂筋くん、近くで見ると、大っきいねっ」
大きな体をおりまげて、小さな自転車にまたがっている御堂筋を見て、真波は言った。
御堂筋のスタート一分前の復活《ふっかつ》に、スタート地点に大きなざわめきが起こった。
鳴子《なるこ》が「おわ、あいつ、なんや、まるぼうずになっとる」とさけんだ。
ライバルの登場に今泉《いまいずみ》が「御堂筋‼」と名をさけんだ。
そのプレッシャーをはねのけ、来たか‼と福富《ふくとみ》がまなざしを向ける。
御堂筋‼
昨日《きのう》の直接対決《ちょくせつたいけつ》で勝った金城《きんじょう》が、御堂筋をむかえる。

真波《まなみ》は、うしろからそのようすをながめていた。

そして、当然《とうぜん》、
キミもだよ。
勝負《しょうぶ》しよう
坂道くん!!

真波は坂道の横顔をチラリと見た。
口を一文字《いちもんじ》にむすんでまじめな顔で前をむいているのが見えた。
ふと、坂道がこちらを見た。
二人は目が合った。
「はたすときだよ、やくそくを」
と真波は坂道には聞こえないほどの小さな声で言った。
聞こえたか聞こえないか、坂道は真波にむかって、

「うん‼」と言った。

「ほないこか、役者はそろた‼」

ほかならぬ、御堂筋《みどうすじ》がそんなふうに言った。

そのとき、

パァン

レースがスタートした。

全開《ぜんかい》スタート！

ワアアアアアアアアと大歓声《だいかんせい》がまき起こった。

「すごい歓声だね、今まででいちばん大きいかも」と坂道が言った。

「小野田くん……おぼえとるか」と鳴子《なるこ》が聞いてきた。

まずは、先導車《せんどうしゃ》とバイクが走り始めた。

金城《きんじょう》はレーシンググローブをしめなおした。トップポジションの福富《ふくとみ》はヘルメットをつけた。鳴子と坂道のスタートにはまだ間がある。

そのすがたを前の方に見ながら、

「えっ」と坂道は言った。

「このインターハイのスタートのとき、ワイが話した〝理想《りそう》のゴール〟や」

坂道には福富《ふくとみ》が力強く、ペダルをふみ出すのが見えた。すぐに金城。すぐに御堂筋《みどうすじ》。
「インターハイロードレース男子、三日目、最終日《さいしゅうび》、スタートです!!
二日目の一位、二位、三位の選手《せんしゅ》がスタートアーチをかけぬけていきます!!」

ドワアアアアアアアアア

アナウンスを合図《あいず》に、大歓声がシャワーのように選手たちにふり注いだ。

その中、まずは三台がスタートしていく。

インターハイは特別《とくべつ》ルールの着順《ちゃくじゅん》スタート。前日ゴールした着差《ちゃくさ》の秒数を計って、このあとは順次《じゅんじ》スタートしていく。

四番目に、箱根学園《はこねがくえん》の新開《しんかい》が、すぐあとに五着の今泉《いまいずみ》、少しおくれて、六着の石垣《いしがき》がスタートした。

レースは始まった。

今泉は、新開の予想外《よそうがい》のダッシュにいきなり引きはなされそうになった。

速《はえ》えっ、くそっ、なんだこの人!!

スタート直後から、新開が全開《ぜんかい》で飛ばす。

今泉はいっしゅんでおいていかれそうになった。早くもバトルだ。

くっ。

今泉は金城《きんじょう》から出されていたオーダー（指令《しれい》）を頭の中で確認《かくにん》した。
「オレに追いつけ。それと新開のうしろにつけ」だ。

「けど、そういうの、かんたんに言わないでもらえます⁉」

と思いっきりペダルをふみこみながら、つぶやいた。始まったばかりのレースが、最《さい》初《しょ》っから全開なのにめんくらった。


のっけから、はなされそうになった今泉は悪態《あくたい》をついた。

「新開さんのまうしろにつきゃ、らくに前を追えるってことでしょ。でもこの人、アホみたいに速《はや》い‼

昨日《きのう》よりも……‼　〝三日目〟だからか。

だが、やってやるさ……‼

小野田、鳴子《なるこ》、おっくれるなよ‼」

そのころ、鳴子《なるこ》と坂道はまだスタートラインで待機《たいき》していた。自分の番を待《ま》っている。

二人はさっきの話の続きをしている。

「このインターハイのスタートのとき、ワイが話した〝理想《りそう》※のゴール〟や」

「それって……今泉《いまいずみ》くんと、鳴子くんと……？」

「そや」

「うん、おぼえているよ」

坂道は頭の中にその絵をうかべた。

「こうやって肩《かた》組んで、三人でゴール、トップゴールできたらキモチええんやろうなと思っとるんや」

と鳴子は言ったのだった。

鳴子は坂道が「三人でゴール」のことをおぼえていることに安心した。
そして、

※理想のゴール…『小説《しょうせつ》 弱虫ペダル』第５巻参照《かんさんしょう》

「カッカッカ、まァ、チーム戦は過酷《かこく》やからな。ワイらの好き勝手に動くわけにもいかん。この話をばかげとるとわらうやつもおるやろう、けど、こうして三人ともスタートラインに立てとる。それは、可能性《かのうせい》はゼロやないということや!!」

と言った。スピーカーから、

「続《つづ》いて、箱根学園《はこねがくえん》、総北《そうほく》高校の後続選手《こうぞくせんしゅ》、京都伏見《きょうとふしみ》をふくんだ最初《さいしょ》のグループのスタートです」

とアナウンスが聞こえた。鳴子や坂道の番だ。

鳴子は、

「うれしいでワイは、あの小野田くんと、こうしてインターハイ三日目、生き残って、いっしょにゴールを目指《めざ》せるんやからな。それだけでも――!!」

と言った。

鳴子《なるこ》は秋葉原《あきはばら》で初めて坂道と会ったことを思い出していた。※

「うん」
と坂道は力強く答えた。

さあ、まもなくスタートだ。

「十秒前、九、八、七、六、五……」

スピーカーからカウントダウンが聞こえている。坂道は一歩目をちゃんとふもうと、ペダルの角度を調整《ちょうせい》した。

※初めて坂道と会ったこと…『小説《しょうせつ》 弱虫ペダル』第１巻参照《かんさんしょう》

ありがとう、いろいろ、ホントに、鳴子くんと思った。

スタートの間際《まぎわ》、二人はそう決めたわけでもなかったのに、どちらからともなくグーにしたこぶしをさし出し、ぶつけ合った。

ゴン

「いくで、最後《さいご》や、キバるで小野田くん‼」

ああ、この感触《かんしょく》だ。これで気合が入る。

二人の心は一つになった。

「ゼロ！　順次《じゅんじ》スタートです!!」
「うん!!」

暑い夏、最後《さいご》のレース、
きっとボクらのねがいはかなう
だから、この道の先のゴールを
目指《めざ》して　全力で走ろう

こうして、坂道の最終日《さいしゅうび》のレースがスタートした。
真夏の光の中に飛び出していくその背中《せなか》を、ミキがたのもしそうに見ていた。

第二章 協調《きょうちょう》

箱根学園《はこねがくえん》と総北高校《そうほく》が合体

坂道、鳴子《なるこ》、田所、巻島《まきしま》たちがスタートした。

まずは金城《きんじょう》に追いつくことだ。

金城は、福富《ふくとみ》と二人で先頭をいっている。どっちが優勢《ゆうせい》なのかは、坂道たちのいるところからはわからない。

「今はまず、金城さんに追いついて、六人そろえることが大事なんだ。二日目《きのう》もそう言ってた。追いつくんだ、四人で」

と、坂道は、そうつぶやきながら自転車をこいだ。

総北《そうほく》の四人は鳴子―田所―坂道―巻島のならびで進んでいた。

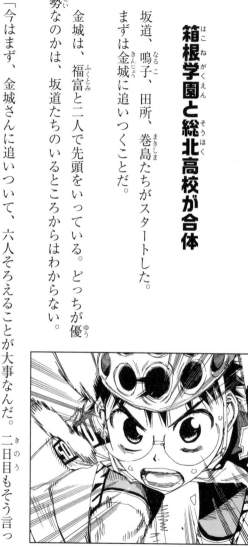

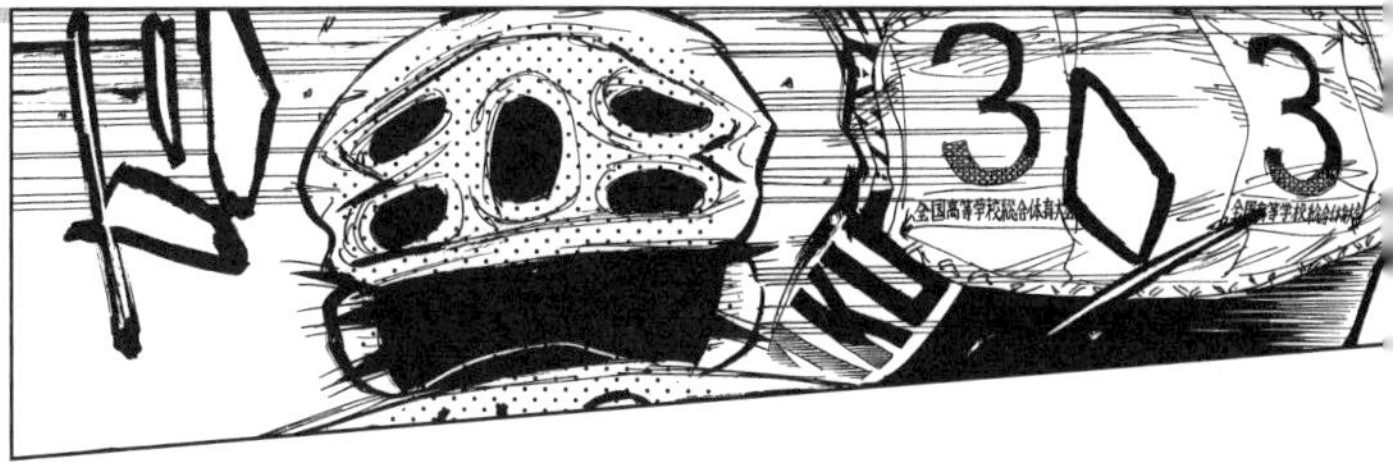

そのとき、急に坂道の前に、ザッと一台の自転車が割りこんできた。

え!?

ゼッケン3……って？

「交渉成立《こうしょうせいりつ》だよ、メガネくん」

割りこんだのは、青いジャージ=箱根学園《はこねがくえん》の東堂《とうどう》だった。

「やあ坂道くん」

今度は坂道のまうしろから真波《まなみ》の声がした。

坂道のうしろは巻島が走っていたのに、間に箱根学園の真波が入っている。

「えっ、あ……うん」

坂道はとまどった。どういうことだ……？

そして、気がついた。総北《そうほく》と、箱根学園《はこねがくえん》の、黄色とブルーのジャージがたがいちがいに連結《れんけつ》して、一列《いちれつ》になっているのだ。

鳴子《なるこ》（黄）─荒北《あらきた》（青）─田所（黄）
─東堂《とうどう》（青）─坂道（黄）─真波《まなみ》（青）─巻島《まきしま》（黄）─泉田《いずみだ》（青）

敵《てき》と味方《みかた》が入りまじって、なんと八両編成《りょうへんせい》の連結だ。

敵であるはずの箱根学園の東堂が教えてくれた。
「〝協調《きょうちょう》〟だよ。目的が同じか、あるいは敵が同じの場合、チーム間のかきねをこえて協力しあって走る。ロードレースのセオリーだ」
たしかに、総北の四台も、箱根学園の四台も、先頭をいくエースに追いつくことが三日目のレースはじめの目的だ。だから、敵同士でも協力するのだ。

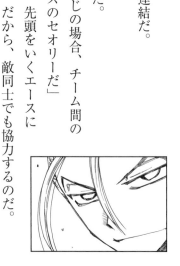

「ったくよ、こういうのキライなんだよ」と荒北がぶつくさ言ってる。

それを聞いて田所が「ガハハ」とわらった。

東堂は、

「ともに走る人数は多ければ多いほど、個人一人ひとりのふたんはへる」と話している。

ほう、と坂道は思った。

「結果《けっか》……全体の速度《そくど》は上がる!!」


「〝協調〟……『エースに追いつく』という目的が同じだから……箱根学園の人たちと……いっしょに走る!!」

と坂道がなっとくしていると、巻島がうしろから言った。

「追いついてからが勝負《しょうぶ》ショ――それまでは〝※休戦《きゅうせん》〟ってコトだ。ふりおとされるなヨ、坂道ぃ」

東堂が「そうだな、メガネくん」と言った。

※休戦《きゅうせん》…敵味方《てきみかた》がしばらくの間、戦いをやめること

「今までにないほど加速《かそく》するぞ！」

気がつくと、先頭は箱根学園《はこねがくえん》のスプリンター泉田《いずみだ》、そのうしろに総北《そうほく》の田所。両チームのスプリンター二台が前を走っている。機関車《きかんしゃ》二両《にりょう》で息《いき》をあわせて列車《れっしゃ》を引っぱっている感じだ。

ガアアアアアアアアアアア

すごい速《はや》い!!

坂道は、とたんに風がビリビリとふるえだしたのを感じた。
四人が八人になるだけでこんなにちがうなんて。やっぱり自転車ってすごい!!
これなら、金城《きんじょう》さんにすぐに追いつくぞ!!

協調《きょうちょう》

箱根学園と総北が合体したちょうどそのころ、スタート地点では、

「最終集団《さいしゅうしゅうだん》、順次《じゅんじ》スタートですっ!!」

と、アナウンスが流れたところだった。先頭のスタートからは十五分ほどがたっている。


整理すると、二日目の結果《けっか》で足切りが行われたため、三日目のレース展開《てんかい》はこうなっている。

「福富《ふくとみ》―金城―御堂筋《みどうすじ》のトップ三人」←「それを追う、それぞれのエースアシスト（箱根学園の新開《しんかい》と総北の今泉《いまいずみ》たち）」←「箱根学園と総北の合体編成《がったいへんせい》」←「熊本台一《くまもとだいいち》」←「最終大集団」というじゅんばんになっているのだ。

最終大集団《さいしゅうだいしゅうだん》の四十人ほどの自転車のかたまりが、スタートアーチをくぐって、レースコースへ出ていく。

この最終の大集団の中に、あの緑《みどり》ジャージの茶髪男《ちゃぱつおとこ》がいた。

スタート前にミキや金城《きんじょう》、福富《ふくとみ》にちょっかいを出していた、広島呉南《ひろしまくれみなみ》の待宮《まちみや》だ。

「エエ！　協調《きょうちょう》……」

とつぶやくと、スルスルっと大集団の先頭に立った。

ペダルをこぎながらうしろをふりむき、みんなの注目を集めるように大きな声で話し始めた。

「みんなァ、今日は最終日《さいしゅうび》じゃ」

動き出したばかりの集団の選手《せんしゅ》たちは、待宮のほうを見た。

「なにもためらうことはない。ワシらの目的は一つじゃ!!」

大演説《だいえんぜつ》が始まった。みんな「なんだなんだ?」と待宮の言葉に耳をかたむけている。よくとおる声がひびいた。

「先頭の連中《れんちゅう》に、うらみつらみがあるヤツも多かろう。前を走るヤツらは、ワシらがぜったいに追いつかんときめこんどる。ヤツらに〝集団の速《はや》さ〟をあじわわせてやろうや。エエ!! 集団がせまる恐怖《きょうふ》を!!」

その話を聞いて、集団の選手たちは目をギラつかせた。

待宮はしめしめと満足そうにうなずき、いつものように毛先を指でちりちりっといじった。

大蛇《だいじゃ》

ハァ、ハァ、ハァ、ハァ、ハァ、ハァ、ハァ、ハァ、ハァ、ハァ

熊本台一《くまもとだいいち》・主将《しゅしょう》の田浦《たうら》はうしろからくる藤原《ふじわら》をふり返った。

二日目は総北《そうほく》と三位争《あらそ》いをしたこともあった熊本台一だが、三日のスタート時点では、「箱根学園《はこねがくえん》と総北の合体編成《がったいへんせい》」からだいぶ、はなされたところを、三台で走っていた。

「藤原ァ、がんばらんかー」

「ヤバかです。もうムリかです。オイにかまわんで二人で行ってください」

と藤原が弱音《よわね》をはいている。力が出ない。おいていかれそうになっている。スタート直後とはいえ、二日間のつかれが、どんよりと体の中につもっているのだ。

「オイたちは肥後《ひご》の超特急《ちょうとっきゅう》、熊本台一ぞ。こがんとこでヘコたれてどがんすっとか‼

まだスタートしたばっかりたい。この坂を登れば、下りたい。いっしょに行くぞ」

と、田浦が応援《おうえん》している。

「オイはもうよかです。昨日《きのう》も総北にぬかれて熊本台一タイムアウトで三人へって。チームはボロボロです。

これで熊台《くまだい》、総合順位《そうごうじゅんい》が悪かったら、かっこわるかです。だけん、先に行ってください。

名門熊本台一のハタにキズがつきます」

「藤原ァ‼　がんばらんか、藤原、藤原ァ」

田浦がひっしに応援していると、

「田浦さん‼　あれ、聞こえますか。この音、大量《たいりょう》の車輪《しゃりん》の……」

と田浦のすぐそばを走る井瀬《いせ》が言った。

「む⁉」

「来てます‼　集団⁉」

田浦《たうら》は、うしろをふり返り、遠くに目をやったが、変わったことはなかった。ただ、かすかに、ジャァアアアという音が聞こえる……ような……気がした。

「来てます！」

もう一度、井瀬《いせ》が言ったときは、コーナーを曲がってくる、自転車の集団《しゅうだん》が見えた。

「最後尾《さいこうび》の最終集団《さいしゅうしゅうだん》がもう⁉　あれにのみこまれたら、レースは終わりたい‼　しかし、オイたちのうしろにまだ数台おったはずとに」

「それも、のみこんだとですよ‼」

ジャァアアアアアアアアアアアアアアアア

音はどんどんと大きくなってきた。もうはっきりと聞こえる。

つぎのえものとして、藤原《ふじわら》をねらっている。

「すべてをのみこんで、さらに加速《かそく》しよるとです。まるで巨大《きょだい》なヘビ」

と、井瀬が言ったとき、

「藤原ァ！」

田浦《たうら》のさけびむなしく、ピンクのジャージがのみこまれた。

「つかまれェェ!!」

と、待宮《まちみや》の声がひびいた。

「田浦さ……、
もうダメ……」


「井瀬えええええええええええ」

言い終わらないうちに、井瀬がのみこまれた。

今度は田浦《たうら》が、シュルシュル、ジャァジャァとすごい速《はや》さで地をはう大蛇《だいじゃ》に追われている。必死《ひっし》でペダルをふんだ。このままでは食《く》われる。

「オイたちは、昨日《きのう》、いっときはチーム三位につけた名門熊台《めいもんくまだい》ばい!! こんなところで
　つかまるわけには、
肥後《ひご》もっこすーーーーー
ーーーーーーーーーー!!」

とぜっきょうした。

田浦には意地がある。
かんたんにはつかまらない。
ケイデンスをめいっぱいあげて蛇《へび》の舌《した》からのがれる。

「もう一丁《いっちょう》ォォ」

と待宮《まちみや》がさけんだ。目をつり上げて、うれしそうだ。

「うおおおおお」

下りコーナーに入った。

田浦は、そこで、バクっと食われた。

待宮《まちみや》のこんたん

ところ変わって、こちらは先頭。

先導車《せんどうしゃ》のうしろで福富《ふくとみ》、金城《きんじょう》、御堂筋《みどうすじ》が走る。そんなにハイペースでは飛ばしていない。

チームの合流を待《ま》つ走りだ。

「福富……ヤツのことをどう考える」

と、金城が福富に話しかけた。

「広島《ひろしま》の……待宮《まちみや》のことか」

「そうだ。宣戦布告《せんせんふこく》をしてきた。オレたちとあいつらの差《さ》は、十五分……二日かけてついた分差だ。それを今日三日目でひっくり返すと言ってきた」

「……」

福富《ふくとみ》は金城《きんじょう》の顔を見た。サングラスの奥《おく》の瞳《ひとみ》はよくわからない。

「らしくないな金城。おそれているのか、あんなまじないを。それとも――？」

「そうだ。あれだけの自信。ブラフ※ではない。ヤツにはおそらくなにかの策《さく》がある」

「だが、十五分はぜつぼうてきな数字だ」

「後続《こうぞく》をまとめて一つの集団《しゅうだん》にしているとしたら――集団は人がふえればふえるほど、速《そく》度《ど》が上がる」

ピクっと福富のほおが動いた。

※ブラフ………はったり。おどしもんく

福富は
「いや。それでも追いつかないな。まとめたとしても。人の意志《いし》はバラバラだ。個人《こじん》の実力差もうめようがない。敵《てき》ではないな」
と言った。それを聞いて金城は話すのをやめた。

御堂筋《みどうすじ》はさっきからなにも言わずに下を向いて、ただただペダルをこいでいた。
しばし間があって、福富が口を開いた。
「かりに、それでもオレたちに追いつくようなことがあるなら、そいつは本当のまほう使いか――心をあやつるペテン師《し》だ」

蛇《へび》の〝胃《い》の中〟

大蛇《だいじゃ》が、山道をはう。えものをさがして。ジャァジャァとなる音は、ガラガラヘビの出す音のようだ。

ハァ　ハァッ　ハッ　ハァ

ぱっくりと食《く》われた田浦《たうら》は息《いき》がかんぜんにみだれている。集団走行《しゅうだんそうこう》の中にまきこまれた。リズムがくずれてしまっている。

「どうじゃ熊台《くまだい》、田浦くん。集団の──〝胃《い》の中〟は」

田浦の背中《せなか》を待宮《まちみや》がポンとたたいた。

「ワシはこの集団をコントロールさせてもろうとる、広島呉南《ひろしまくれみなみ》の待宮じゃ」
と緑《みどり》ジャージが話しかけた。

ハァ、ハァ、ハァ、ハァ、ハァ、ハァ、ハァ、ハァ、ハァ

田浦は大口をあけて、苦しそうに息をつなぐ。

「案外《あんがい》わるうないじゃろ、エエ」

と待宮は言った。


田浦は反抗《はんこう》した。

「悪いが、さわらんでもらえるか！　なれあうつもりはなか!!」

「わかる」

待宮はすぐにはなれた。

「わかるけ……チームでガンバっとったのに、最終集団《さいしゅうしゅうだん》に
つかまる。そのぜつぼうかん」
と待宮《まちみや》に図星《ずぼし》をさされて田浦《たうら》は目を見開いた。

待宮はぱっとわらった。
「けど田浦くんはラッキーじゃ。この集団の〝行き先〟は〝先頭〟じゃけんのう」

「せ……先頭？」

と田浦は予想外《よそうがい》の言葉におどろいた。

「バカな。何分の差《さ》があると思とっとか。そりゃ無理《むり》ばい」

「……のっていけ……追いつくんじゃ。全員の力で」

待宮は、ぬっと顔を近づけた。

よく見ると、髪《かみ》や眉毛《まゆげ》だけじゃなくて、瞳《ひとみ》の色も茶色い。

田浦はぞくっとした。

待宮は、ここぞとばかり田浦を〝たらし〟にかかった。

「エエ、スプリンターを一人出すだけでエエ。三日目はたいそうな山があるが、それまでは平坦《へいたん》メインじゃ。スプリンターがキモになる。しかも一分引いたら十分休んでエエ。オイシイじゃろ。らくなモンじゃ。※ローテーションして引くだけでエエ。人数が多いけのう。スプリンターが一人二人のチームとは、こっちは速度《そくど》がちがう。それが集団じゃ」

「田浦さん」

先に蛇《へび》の〝胃《い》の中〟にのみこまれた井瀬《いせ》が声をかけた。井瀬は知っている顔を見つけて、田浦のそばまでこいできた。

「待《ま》て、井瀬……。こいつの話を聞くばい。待宮くん、オイたち熊本台一《くまもとだいいち》は三人が残っとる。一番先にのみこまれた藤原《ふじわら》はクライマーばい。しかも、昨日落車《きのうらくしゃ》してケガしとる。ケガしたクライマーはどうすると。速く走れんけん、おいていくとか‼」
待宮は細い目をさらに細めて、ふっとえがおになった。

※ローテーション…交代《こうたい》しながら

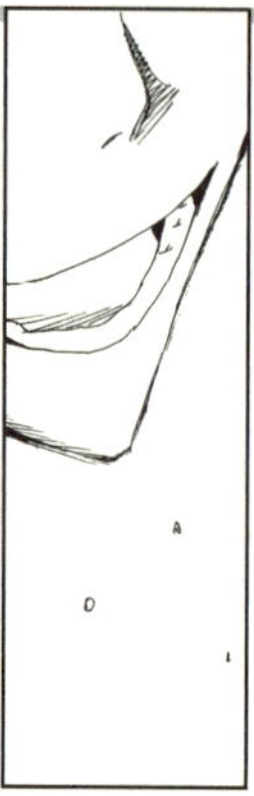

「そりゃあ……」
なにを言うのか、田浦《たうら》はかたずをのんで待《ま》った。待宮《まちみや》は
「たいへんじゃ、塩野《しおの》、東村《ひがしむら》！」
と、突然《とつぜん》、うしろをふり返って大声を出して、呉南《くれみなみ》のチーム
メイトをよんだ。
「熊台《くまだい》の三人目はケガをしとるらしいぞ‼　すぐにまん中に
つれてきてくれ」
すると、緑《みどり》のジャージのおおがらな二人が、ピンクジャー
ジの藤原《ふじわら》の背中《せなか》をおしながら、うしろから上がってきた。
「せ、先輩《せんぱい》……」
田浦と井瀬《いせ》の顔を見た藤原がなさけない声を出した。
「藤原‼」
「マサ‼　だいじょうぶか」
藤原の顔を見てホッとした表情《ひょうじょう》をうかべる田浦と井瀬に、

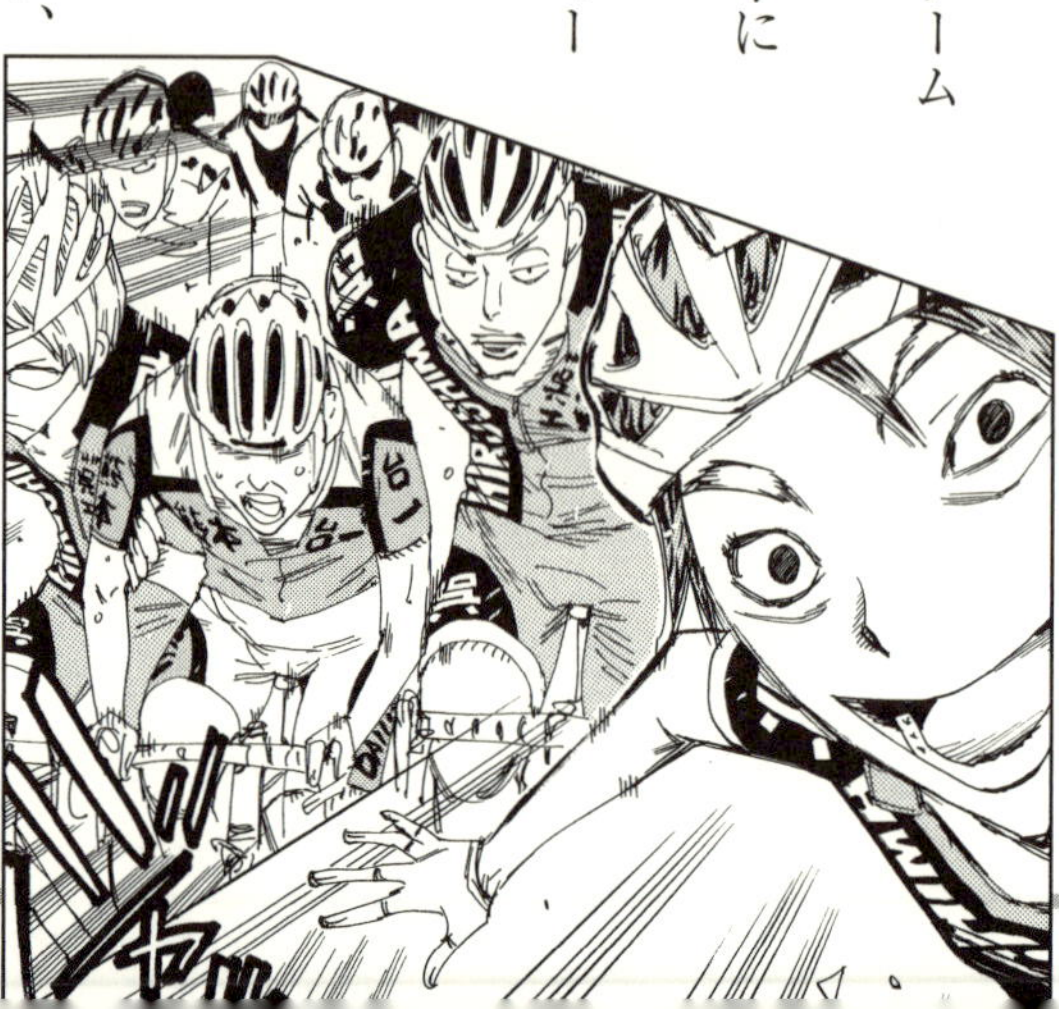

待宮はこう言った。

「ケガ人やクライマーはまん中に集める。集団《しゅうだん》のまん中は前方からの空気抵抗《ていこう》がゼロになる。『繭《コクーン》』とも『貝殻《シェル》』ともいう。集団をたとえた言葉じゃ。飛んでいるカマキリがとまるほど。集団の中は別世界《べっせかい》……。まるでサイクリングを楽しんでいるかのようにラクじゃ」

そう言うと、本当に、一ぴきのオオカマキリが自転車をこいでいる待宮の手のこうにとまった。

あざやかなマジックのようなタイミングだ。待宮がフッとうでをふると、オオカマキリははねを広げ、また空に飛び上がった。

待宮は

「ケガ人をおいていくなんて、できるわけないじゃろう。まん中で休めばエエ」

と田浦の目を見て言った。

熊本台一《くまもとだいいち》の三人はゴクリとつばをのみこんだ。そして、待宮《まちみや》の声に耳をすませた。
「ワシらは一つ。もはや……、ジャージの色や、背中《せなか》のゼッケンなんて関係《かんけい》ないんじゃ。同じ目的《もくてき》を持って走るワシらは、同じチームメイトじゃ」
と、うっとりと語った。

それを聞いて、

「やってやる……」

とつぶやいたのは、金沢三崎工業《かなざわみさきこうぎょう》の柴田康之《しばたやすゆき》だった。「北陸《ほくりく》の疾風《しっぷう》」の異名《いみょう》を持つスプリンター。※一日目のファーストリザルトをねらったが、総北《そうほく》の田所&鳴子《なるこ》のコンビにつぶされた選手《せんしゅ》だった。

「仏《ほとけ》のカオも三度まで」

と気合を入れなおしたのは、奈良山理学園《ならさんりがくえん》の大粒健士《だいつぶたけし》。二日目に※田所に勝負《しょうぶ》をいどんだが、坂道&田所のコンビにぶっちぎられた選手。

「む」

一度はぜつぼうした熊本台一の田浦《たうら》もやる気がみなぎってきた。

「オレ、前で引いてきます」と言うと、井瀬《いせ》はダンシングでこぎ始め、繭《コクーン》の中から飛び出ていった。

「たのんだぞ」と田浦が声をかけた。

※一日目のファーストリザルト…『小説《しょうせつ》 弱虫ペダル』第5巻参照《かんさんしょう》

※田所に勝負をいどんだ…『小説 弱虫ペダル』第8巻参照

待宮《まちみや》はニタァとわらった。〃待宮作戦《さくせん》〃は順調《じゅんちょう》だ。そして、ほくそえんだ。

エエ！

この「集団《しゅうだん》」は一日目や二日目には作るのは不可能《ふかのう》じゃやった。

追いつめられて、あきらめかけて、チームがかけて、バラバラになった「三日目」じゃからできる集団。

最後《さいご》の希望《きぼう》――いちるの望《のぞ》み――

四十人近い意志《いし》――

これらがしぼりだす力は、ハンパやないぞ‼

箱根学園《はこねがくえん》、総北《そうほく》、せいぜい油断《ゆだん》しとけ

この集団は守るもののない集団

ちっぽけな集団は、すぐにのみこむ！

と悪魔《あくま》のようにニヤリとした。

今泉《いまいずみ》が合流

インターハイ、三日目。

この最終《さいしゅう》ステージの前半の舞台《ぶたい》は、国道139号線である。

富士山《ふじさん》の北側《きたがわ》、標高《ひょうこう》八百メートルから一千メートルの地点に、つらなるようにならぶ五つの湖、通称《つうしょう》「富士五湖《ふじごこ》」をまっすぐにむすんで走る道。

富士五湖は、東側《ひがしがわ》からスタート地点にもなった本栖湖《もとすこ》。次《つぎ》が精進湖《しょうじこ》、西湖《さいこ》、河口湖《かわぐちこ》、山中湖《やまなかこ》の五つである。どれも富士山の噴火《ふんか》の溶岩《ようがん》で川がせきとめられてできた、堰止湖《せきとめこ》だ。夏は避暑地《ひしょち》として有名な地域《ちいき》で、とくに河口湖はレジャーがさかんだ。

そこを突《つ》っきって、今泉《いまいずみ》がもうれつなスピードで疾走《しっそう》していた。

——ところが、すぐ前をいくブルーの
ジャージ、新開《しんかい》に追いつかない。

ハア、ハア、ハア、ハア、ハア、
ハア、ハア、ハア、ハア、ハア

「はっっえええ!!!
めいっぱい回してんのに追いつかねえ!!
あの人、自転車にモーターでもつけて
んじゃねーか
箱根学園《はこねがくえん》、
エーススプ
リンターの
新開さんよ!!」

今泉《いまいずみ》はもがいていた。

ダンシングでぶっ飛ばすと、新開のしりがだんだんと大きくなってくる。

しかしまた、はなされる。

「くそおおおおおお!!!」

ときどき、はりつくのがやっとだ。

「インハイ最終日《さいしゅうび》ってのは、毎年こうなのか。前半から超《ちょう》ハードだ!!」

そのとき、ふいに新開のスピードがゆるんだ。

するするっと、前を行くゼッケン4に今泉は追いついた。

新開は

「今泉クン、たいしたもんだったよ。よくがまんしてついてきたな。お待《ま》ちかねだよ。

ほら、オレたちのエースだ!!」

すぐ前に、福富《ふくとみ》、金城《きんじょう》、御堂筋《みどうすじ》が走っていた。

「追いついた!! 先頭ォォ!!」

無我夢中《むがむちゅう》で走っていた今泉《いまいずみ》は「金城に追いつく」という目的を達成《たっせい》したことにちょっと安心した。新《しん》開《かい》の超《ちょう》ハイペースに必死《ひっし》にくっついていったことで、前半のうちに追いついたわけだ。

御堂筋が、ギロっと今泉の顔を見た。

ハァ、ハァ、ハァ、ハァ、ハァ、ハァ、ハァ

今泉は息《いき》がきれまくっているまま、

「ご……合流しましたよ。ハード……ワークでしたけどね」
と金城に言った。そして自転車に取りつけているボトルをはずして、
ひと息に水をのんだ。

金城が
「じょうできだ。よくはなされずにきた。オーダーどおりだ」と言った。
「にがしませんでしたよ、新開さんは‼　あとは後続《こうぞく》の四人が追いつくのを待って……」
と今泉がこれでしばらくは息がつける、と思ったら、金城が言った。
「……いや、のんびりと話をしているヒマはない」

!?

今泉が金城を見ると、サングラスの奥《おく》の瞳《ひとみ》がぎらりと光っていた。

新開が今泉に話しかけてきた。

「息《いき》があがっているね、今泉《いまいずみ》くん、限界《げんかい》かい？　ここは先頭――。
もっともゴールに近い場所だッ。
わかるかい？　戦場《せんじょう》だよ!!」

ビクン

新開《しんかい》の太ももに力が入るのが、今泉には見えた。

――待《ま》て　おい　え!?

動く!!

新開は、追いついたばかりだというのに、またトップスピードで走り始めた。

そして、心の中で、一年の今泉に語りかけた。

インターハイは着順《ちゃくじゅん》スタートだ。
つまりすでに実力者が前方にそろってるということだッ‼
「明日のレース」がない三日目では、残りの選手《せんしゅ》の合流を待つのも一つの選択肢《せんたくし》だが、先頭にいるやつがにげきって、そのまま――ゴールすることだってできるんだ‼

ギャン

新開、シフトアップからの加速《かそく》。

あ！

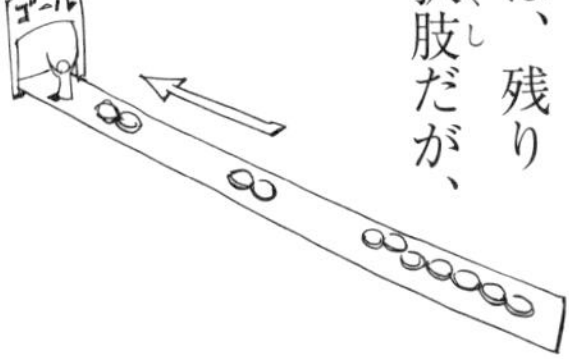

「金城《きんじょう》さん、ハコガク、動きます‼」

と今泉《いまいずみ》がさけんだ。

「やはり、ここでしかけるか福富《ふくとみ》‼」

と金城が心の中でさけんだ。

今泉は
「バケモンかよ、ハコガク‼　息《いき》が――っ‼」

ハア、ハア、ハア、ハア、ハア、ハア、ハア
休む間もなく、波状攻撃《はじょうこうげき》のように、箱根学園《はこねがくえん》はスパートした。
「くそ‼　ゴールまで独走《どくそう》する気だ‼　息なんて走りながらととのえる‼
追います、金城さん」

と今泉がさけぶと、

「当然《とうぜん》だ‼」

と金城がこたえた。

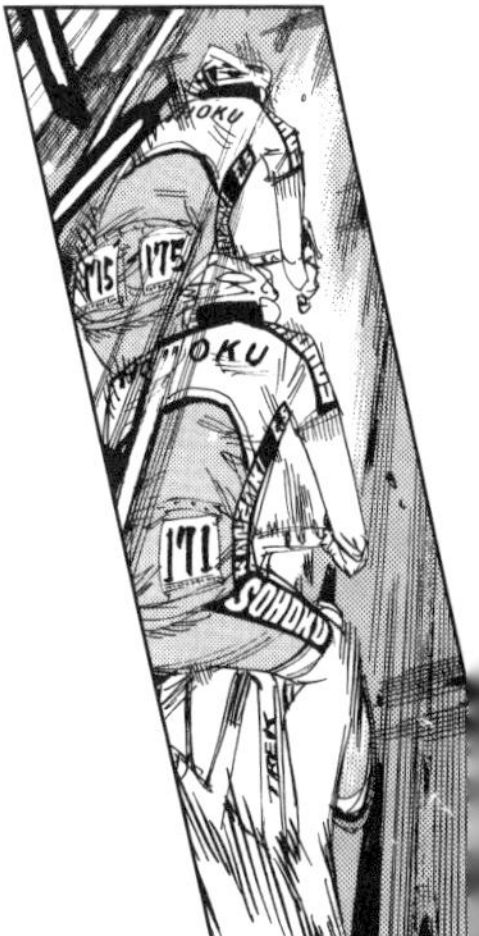

ハア、ハア、ハア、ハア、ハア、ハア、ハア、ハァ

させるかよーーーー‼
見てろ、小野田、鳴子《なるこ》
二対二だ
もんくは言わねェ‼
闘《たたか》えるってトコ
見せろっつんなら

息《いき》もたえだえの中、今泉《いまいずみ》は馬力《ばりき》をふりしぼってペダルをふんだ。エースアシストとして、金城《きんじょう》を引かなければならない。

「うぉおおおおおおおおお。見せてやるよ!! ぜったいに行かせねェ!!」

新開《しんかい》──福富《ふくとみ》が飛び出したところに、すかさず外から今泉──金城がならびかけた。

少し今泉が先へ出たところで新開が言った。

「やるね、今泉くん。よくおさえた」

「あたりまえす。そうかんたんには独走《どくそう》、ゆるしませんよ」

ハァ、ハァ、ハァ、ハァ、ハァ
おいおい、一秒も休めねーのか、三日目って!!
と、今泉はひとり言を言った。

「そのいきおいはいつまでもつかな?」と言うやいなや、新開はまたもやアタック。

ギャン
第二波《だいには》アア‼

「くそおおおおお。
うそだろ
まだ行くのかよ！」

おおおおおおおおおお‼

箱根学園《はこねがくえん》の再度《さいど》のアタックに少しおくれた総北《そうほく》だったが、またしても今泉は新開に鼻《はな》ヅラをならべた。

「わかったよ、一秒も休まねェ!!　……よくわかった」

今泉《いまいずみ》はあせをボタボタとさせながら必死《ひっし》の形相《ぎょうそう》でくらいつく。

そして、

「にがしませんって……」

しゅうねんをもやした。

ハァ、ハァ、ハァ、ハァ、ハァ、ハァ、ハァ、ハァ、ハァ、ハァ
新開《しんかい》は、アタック走行をやめて、

「しつこいね。みごとなまでにしつこい」

と言いながら、うしろのポケットから補給食《ほきゅうしょく》のビスケットを出してかじった。

今泉は、はげしく呼吸《こきゅう》しながら、

「いやあ、どうやらそいつがうちのチームのチームカラーみたいですから」

ハァ、ハァ、ハァ、ハァ、ハァ、ハァ、ハァ、ハァ、ハァ、ハァ

「言っときますけど、チームが六人そろったら、もっとしつこいすよ」

と、今泉は新開の顔をにらんだ。

新開は、

「それは、そろったらの話だろ」

と、にらみ返した。

ぞくっ

と、今泉は背筋《せすじ》がふるえた。

そのころ最終大集団《さいしゅうだいしゅうだん》は、速度《そくど》をどんどん上げていた。

「もっとじゃ……‼　もっと上げるんじゃ速度……。すべてのカーブの先には、先頭《ヤツラ》がいると思え‼」

と待宮《まちみや》がさけんでいた。

「エエ‼」

ジャァアアアアアアアアアアアアアアアアアアアアアアア

今度は、長崎陽北《ながさきようほく》の二台がつかまろうとしていた。

坂道の不安

大集団の前を走る箱根学園《はこねがくえん》と総北《そうほく》の合体列車《がったいれっしゃ》は泉田《いずみだ》が先頭で走っていた。ローテーションも順《じゅん》調《ちょう》、安定した高速走行《こうそくそうこう》で前との差《さ》をつめていく。

泉田―田所―荒北《あらきた》―鳴子《なるこ》―東堂《とうどう》―坂道―真波《まなみ》―巻島《まきしま》の順《じゅん》で飛ばしていた。

坂道は真波がさっきから、うしろばかり気にしていることに気がついた。

「ど、どうしたの？　真波くん？　うしろ？」

と思い切って聞いてみた。

「いや……ちょっと気になる感じがあって……なんかあれそうだなって……」

「えっ……うそ。あ……て、天気？」

「……いや……ちがう……」

そうこうしているうちに、先頭の泉田《いずみだ》が、

「おねがいします」

と、うしろに下がっていった。

「ああ‼」

と返事をしたのは田所で、先頭でみんなを引き始めた。

つかれる前にこまめにローテーションするので、速度《そくど》が落ちないのだ。

泉田は東堂《とうどう》のうしろに入った。

「ごくろうだったな、泉田」と東堂がねぎらった。

「いや。それにしても——想定《そうてい》より……追いつきませんね、先頭」と

泉田が感触《かんしょく》を伝えた。

「うむ……そうだな」

それを耳にした坂道は、

「あ、あの、だいじょうぶなんでしょうか。えっと……金城《きんじょう》さんたちになにかがあって……。あっ事故《じこ》とか!?」

と、不安を口にした。

「それはぎゃくだよ、メガネくん」と東堂が言った。

巻島《まきしま》が、

「なにかあって走れなかったら、ぎゃくに追いつくっショ」

「ああっ、そ、そうですよね」と坂道はホッとした。

「だが、想定とちがうのは事実だな。すでに〝先頭争《せんとうあらそ》い〟が始まっている!!」

と東堂が想像《そうぞう》を口にした。

とたんに巻島と田所の顔がキリッとなった。
「せ……先頭争い？　そ、それって、あの、ゆ……ゴー……あの」と坂道はしどろもどろになった。

「そうだ、ゴールをねらった優勝争《ゆうしょうあらそ》いだ」と東堂《とうどう》が言う。
坂道は、
「それはあの、ひょっとして先に行っちゃうってことですか⁉
先だけで勝負《しょうぶ》して……あの、チーム六人でボクら……そろわないっ
てコトですか⁉」
とあせって聞いた。

「ありうるな。十分に」
と、東堂はむずかしい顔をして答えた。

は⁉
坂道は、頭がまっ白になった。
そこへ東堂が説明《せつめい》を続けた。

「オレたちは勝負をしている……。だれが一番早く、ゴールにジャージをとどけるか——
という闘《たたか》いに。もはや条件《じょうけん》がそろっているかどうかなんて関係《かんけい》がないのだよ、メガネくん」

……。

「今日は三日目。一日目や二日目のように、全員《ぜんいん》を残すひつようはない。ロードレースが本来そうであるように、チャンスがあれば〝動く〟」

東堂の言葉はきびしかった。
レースのきびしさを表していた。なかよく走ることが目的ではないのだ。
坂道は、昨夜《さくや》のミーティングで金城《きんじょう》が言っていたことを思い出した。

「田所、巻島《まきしま》、鳴子《なるこ》、今泉《いまいずみ》、小野田、そしてオレもだ——。
全員《ぜんいん》がかならずゴールできるわけではない。
おいていく覚悟《かくご》をわすれるな——」

「三日目」……!!
「おいていく覚悟《かくご》」……
今日は……六人そろわないままレースが
終わることもあるんだ……
なにかしたい……
ボクにもできることを……

でも
そろわないんだったら……
坂道はいっしょにゴールできないこともあるのだ、と思ったら、
とてつもなくさびしくなった。

パン

と、坂道は背中《せなか》をたたかれた。

「なんつー顔をしてんだァ」

と巻島《まきしま》が言った。

「クハ。おまえ、六人そろわないとさみしいなァーつう顔をしてるショ」

「……。そう……いえ!!　さみしいとかは、あっ。レース中ですので、決してそういうことじゃなくて……あの」

「それでいい」

「は？」

「全員《ぜんいん》の想《おも》いはバラバラでいい。そいつが一《ひと》つんなって、前に進むんだ。おめーがそう想うんなら、全力で想え。さみしい、たのしい、みんなといっしょに走りたい、おめーのそういうのは、勝ち負けには関係ねえ。けど……意外《いがい》にみんなの背中をおしてんだぜ？」

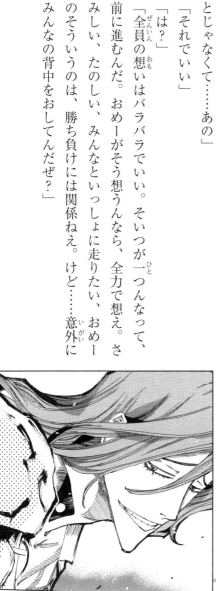

「は！」

坂道の表情《ひょうじょう》がパァッと明るくなった。巻島《まきしま》は、

「さぁいくぜ!!　たぶん今泉《いまいずみ》も金城《きんじょう》も、オレたちが来るのをヘトヘトになって待《ま》ってる!!　東堂《とうどう》が言ったのは可能性《かのうせい》だ。まだ追いつくショ!!　金城も今日のオーダーで言ってたろ？」

と、坂道を応援《おうえん》するように言った。

「なるべく早くオレに追いつけ」と金城が言っていたことを思い出して、坂道は

「はい!!」
と大きな声で返事をした。

追いつくんだ先頭に‼　ボクも――

チームの力になりたい‼

坂道は姿勢《しせい》をひくくし、ぐっと先を見すえてペダルをふんだ。

そのとき、泉田《いずみだ》が荒北《あらきた》に話しかけた。

「そういえば、さっきまではりついていた京都伏見《きょうとふしみ》の二人がいませんね」

「ああ？　あの暗いやつとパチエモンか。ほっとけ。オレらの速度《そくど》にのりきれず、チギれたザァコだ。もどってくるこたぁねーよ。前だけ見てりゃいいっての」

ハァ　ハァ　ハァ　ハァ　ハァ　ハァ　ハァ
紫《むらさき》のジャージ、水田《みずた》と辻《つじ》は、おくれ始めていた。

「辻《つじ》さん、なんとかしてくださいよ、この状況《じょうきょう》……ハコガクと総北《そうほく》に……おいて……いかれて……さらに」

と水田がなき言をたれた。

「バカ、オレにできるわけないやろ、うわああああああああ!!!」

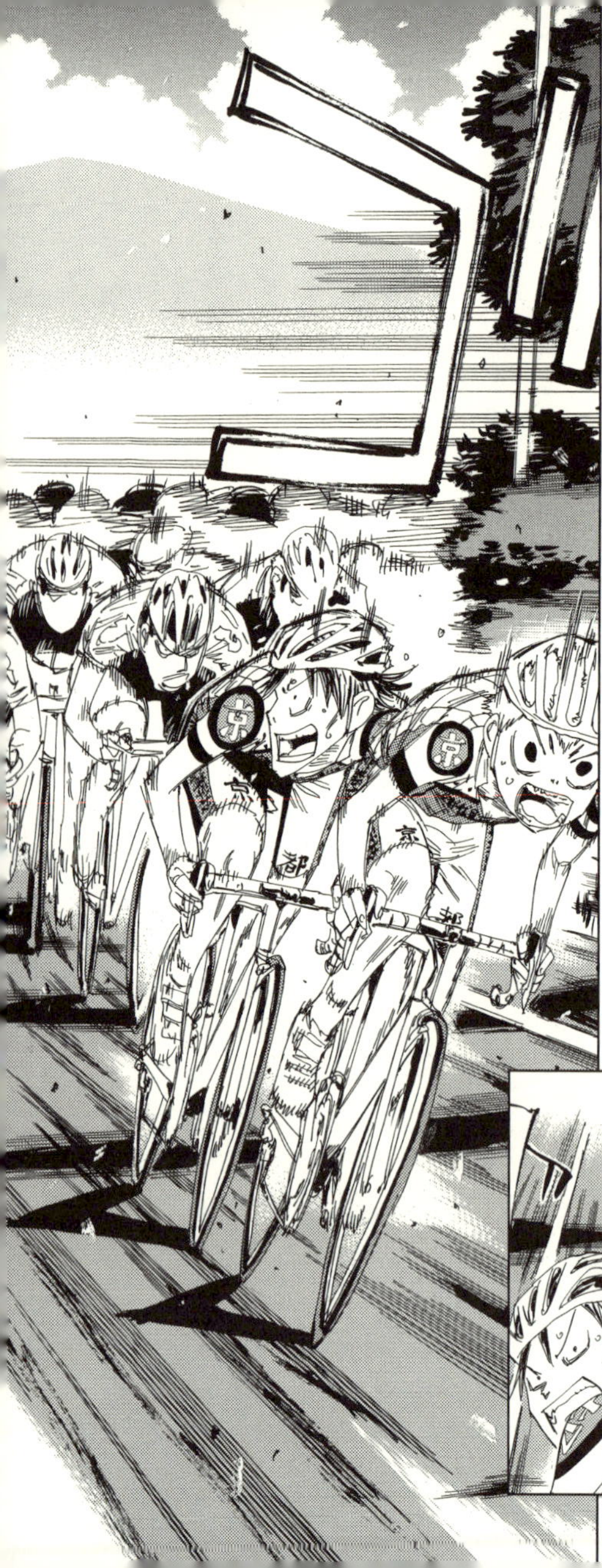

ジャァアアアアアアアアアアアアアアアア

うしろから大蛇《だいじゃ》が来た。

「速《はや》い！　なんやの、この集団《しゅうだん》」

「うわっ、うあああ、こんな速い集団、見たことないスよ!!

ふぁあぁ、なんとかしてくださいよ、辻さん!!」

「だからオレにできるわけないやろって」

ああああああああああああああああああああああ

（続く）

C O L U M N

これでキミも自転車通《つう》！

010

自転車のパーツの中で、
人からはほとんど見えないけれど、
大切な役割を果たしている「サドル」。
このおしりをのせる小さいイス、
どんな役目があるのか知っておこう！

サドルの重要《じゅうよう》な役目

スピードを出す、坂を登る、平地をのんびり走るなど、いろいろな状況《じょうきょう》で走るよね。そのとき、一番いい走りができるように姿勢《しせい》をささえてくれるのがサドル。その角度や形状《けいじょう》が体にあっていなかったりすると、おしりや腰《こし》がいたくなったりするので選ぶときはしんけんにね。

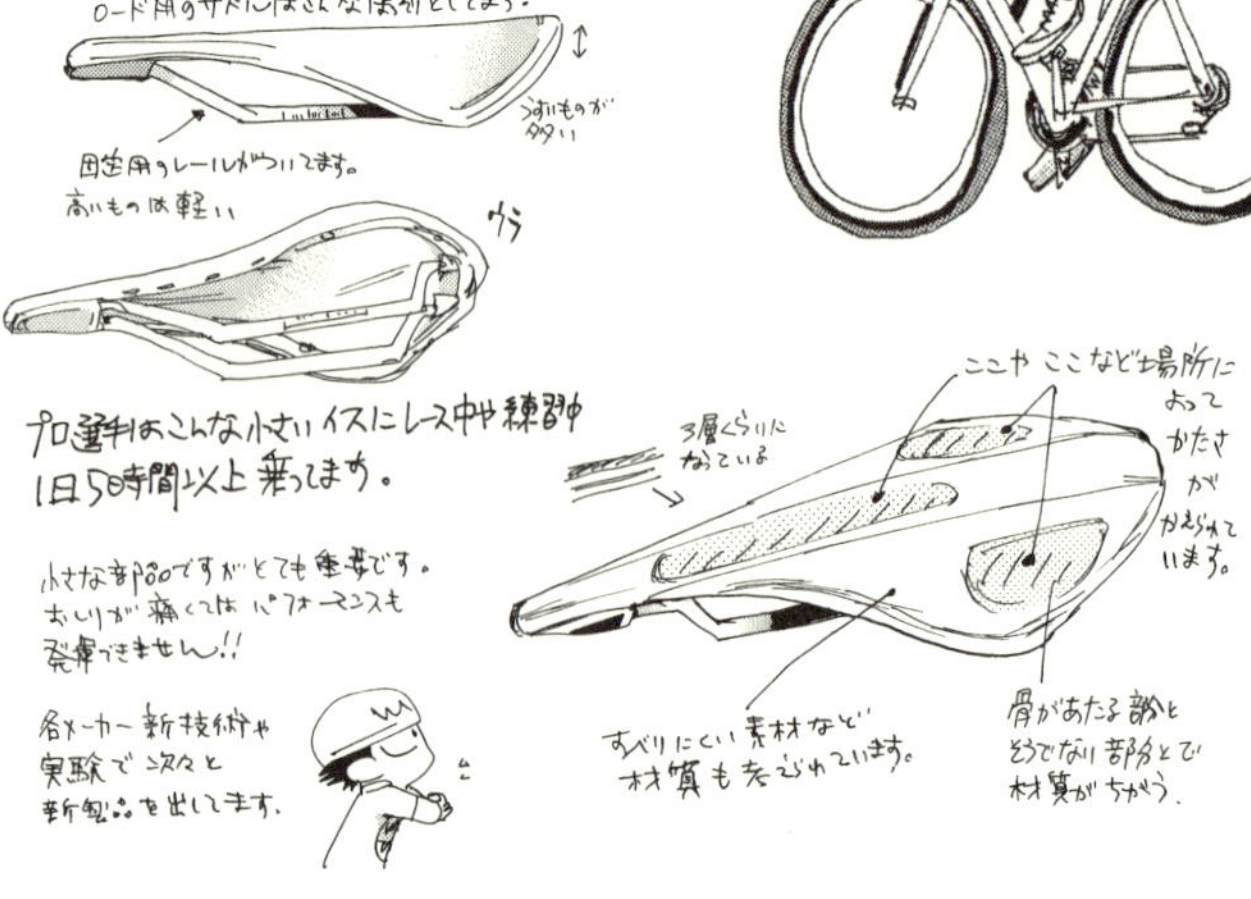

サドルは状況に合わせて、すわり分ける!!

サドルが前の方にグンとのびている形にはわけがあるよ。それはコースにあわせて、すわり分けるから。それは使う筋肉《きんにく》を使い分けるためなんだ。

① サドルの前の方にすわるポジション

登りの坂道などで

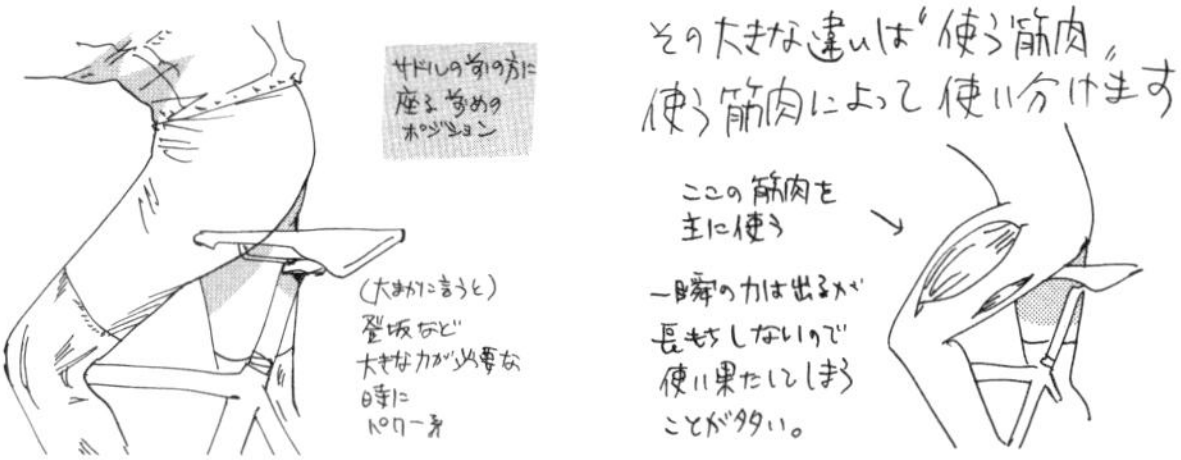

② どっしりとサドルのうしろの方にすわるポジション

ふつうに気持ちよく走るときに(巡航時《じゅんこうじ》)

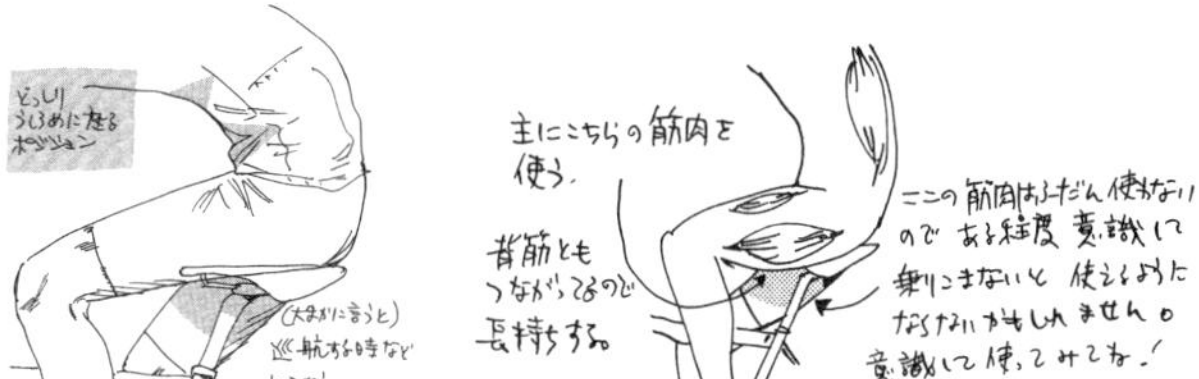

いろいろな種類《しゅるい》があるよ

色や素材《そざい》、形もいろいろとあるので、たくさん見て、選ぼう。

[原作者]
渡辺 航（わたなべ　わたる）
漫画家。長崎県出身。MTBやロードバイクなど自転車をこよなく愛し、『弱虫ペダル』の連載を続けながら、多くのアマチュア自転車レースに参戦している。

[ノベライズ]
輔老 心（すけたけ　しん）
ライター。兵庫県出身。『スーパーパティシエ物語』『いやし犬まるこ』（いずれも岩崎書店）など著書多数。

AD　山田 武　　協力　渡邊まゆみ
編集協力　秋田書店

フォア文庫

小説《しょうせつ》 弱虫《よわむし》ペダル10

2022年10月31日　第1刷発行

原作者　渡辺 航
ノベライズ　輔老 心
発行者　小松崎敬子
発行所　株式会社 岩崎書店
〒112-0005 東京都文京区水道1-9-2
電話　03-3812-9131（営業）　03-3813-5526（編集）
00170-5-96822（振替）
印刷・製本所　三美印刷株式会社

ISBN978-4-265-06580-6　NDC913　173×113